中國碑帖名品 [三十三]

北魏墓志名品[二]

刁遵墓志 崔敬邕墓志 司馬昞墓志 張黑女墓志

上海書畫出版社

前　言

中華文明綿延五千餘年，文字實具第一功。從倉頡造字而雨粟鬼泣的傳説起，歷經華夏子民智慧聚集、薪火相傳，終使漢字生生不息，蔚爲壯觀。伴隨著漢字發展而成長的中國書法，基於漢字象形表意的特性，在一代又一代書寫者的努力之下，最終超越其實用意義，成爲一門世界上其他民族文字無法企及的純藝術，并成爲漢文化的重要元素之一。在中國知識階層看來，書法是中國人『澄懷味象』、寓哲理於詩性的藝術最高表現方式，她净化、提升了人的精神品格，歷來被視爲『道』『器』合一。而事實上，中國書法確實包羅萬象，從孔孟釋道到各家學説，從宇宙自然到社會生活，中華文化的精粹，在其間都得到了種種反映，書法無愧爲中華文化的載體。書法又推動了漢字的發展，篆、隸、草、行、真五體的嬗變和成熟，源於無數書家承前啓後、對漢字美的不懈追求，多樣的書家風格，則愈加顯示出漢字的無窮活力。那些最優秀的『知行合一』的書法家們是中華智慧的實踐者，他們彙成的這條書法之河印證了中華文化的發展。

因此，學習和探求書法藝術，實際上是瞭解中華文化最有效的一個途徑。歷史證明，漢字及其書法衝破了民族文化的隔閡和時空的限制，在世界文明的進程中發生了重要作用。我們堅信，在今後的文明進程中，這一獨特的藝術形式，仍將發揮出巨大的力量。然而，在當代這個社會經濟高速發展、不同文化劇烈碰撞的時期，書法也遭遇前所未有的挑戰，這其間自有種種因素，而漢字書寫的退化，或許是書法之道出現踟躕不前窘狀的重要原因，因此，有識之士深感傳統文化有『迷失』、『式微』之虞。書法藝術的健康發展，有賴對中國文化、藝術真諦更深刻的體認，彙聚更多的力量做更多務實的工作，這是當今從事書法工作的專業人士責無旁貸的重任。

有鑒於此，上海書畫出版社以保存、還原最優秀的書法藝術作品爲目的，承繼五十年出版傳統，出版了這套《中國碑帖名品》叢帖。該叢帖在總結本社不同時段字帖出版的資源和經驗基礎上，更加系統地觀照整個書法史的藝術進程，彙聚歷代尤其是今人對不同書體不同書家作品（包括新出土書迹）的深入研究，以書體遞變爲縱軸，以書家風格爲横綫，遴選了書法史上最優秀的書法作品彙編成一百册，再現了中國書法史的輝煌。

爲了更方便讀者學習與品鑒，本套叢帖在文字疏解、藝術賞評諸方面做了全新的嘗試，使文字記載、釋義的屬性與書法藝術造型、審美的作用相輔相成，進一步拓展字帖的功能。同時，我們精選底本，并充分利用現代高度發展的印刷技術，精心校核，原色印刷，幾同真迹，這必將有益於臨習者更準確地體會與欣賞，以獲得學習的門徑。披覽全帙，思接千載，我們希望通過精心編撰、系統規模的出版工作，能爲當今書法藝術的弘揚和發展，起到綿薄的推進作用，以無愧祖宗留給我們的偉大遺産。

上海書畫出版社

簡介

《刁遵墓志》全稱《雒州刺史刁惠公墓志銘》，北魏熙平二年(五一七)刻。正書，二十八行，滿行三十三字。志陰兩列，三十三行。清雍正年間在河北省南皮縣出土。出土時志右下缺一角，乾隆二十七年劉克倫補木刻跋於缺角處。後志石愈損愈巨，今已損至一百多字。殘石現存山東省博物館。書法渾穆峻勁，端莊古雅。

本次選用之本爲清乾隆年間精拓本，『雍』字初損，餘字幾未凋零，劉克倫跋清晰。志陰爲『温恭好善本』之同時所拓，有陸恢及陸翔跋。整幅志陰則爲百年前舊拓。皆爲朵雲軒所藏，均係首次原色全本影印。

《崔敬邕墓志》，全稱《魏故持節龍驤將軍督營州諸軍事營州刺史征虜將軍太史大夫臨青男崔公之墓志銘》，北魏熙平二年（五一七）刻。正書，二十九行，行二十九字。清康熙十八年（一六七九）於河北安平縣出土，不久石佚，原石拓本極稀。書法剛柔相濟，妍麗多姿。

本次選用之本爲朵雲軒所藏清康熙年間出土後精拓本。

《司馬昞墓志》，全稱《魏故持節左將軍平州刺史宜陽子司馬使君墓志銘》，北魏正光元年（五一七）刻。正書，十八行，行十七字。清乾隆二十年（一七五五）河南孟縣東北八里葛村出土，同時出土有《司馬紹墓志》、《司馬昞妻孟敬訓墓志》、《司馬昇墓志》，合稱『四司馬墓志』。《司馬昞墓志》初爲張大士所得，後爲邑令周名洵攜去，未幾遂佚。原始拓本極稀。現存孟縣者爲乾隆己酉馮敏昌重刻之石。有志蓋，正書三字。曾歸藥師村李洵、長白端方。此志書法凝练秀美，端莊雋潔。

本次選用之本爲羅振玉舊藏本，現藏日本，今以舊刊全本收入册中。

《張黑女墓志》，全稱《魏故南陽張玄墓志》，因清代避康熙皇帝玄燁名諱，一般皆稱《張黑女墓志》，今沿用此名。刻於北魏普泰元年（五三一）十月刻。正書，二十行，行二十字。原石久佚。清道光年間何紹基得剪裱舊拓孤本。此志書刻俱佳。書法峻宕樸茂、雄健秀逸，堪稱北魏墓志之極品，備受後世書家鍾愛。

本次選用之本爲何紹基舊藏孤本，原本不明下落，今以民國舊刊全本收入册中。

刁遵墓志

魏故使持節都督洛兗州
高祖協玄亮晉侍中尚書左僕
夫人彭城曹氏父義晉梁國
曾祖彝太倫晉侍中徐州牧司空義陽
祖暢仲遠晉中書令金紫左光祿大夫
父雍淑和皇魏使持節侍中都督揚徐兗豫四
徐豫冀三州刺史東安簡公夫人琅耶王氏父
公諱遵字奉國勃海饒安人也姬氏之興錫於帝
履淹識明有晉祖父以忠肅恭懿聯輝津俶見者世
之外不覺銘於幽泉也公稟惟岳之靈挺其仁之性忠
以節名譽以眩世少能和俗於人無際得鼎外署者
侍中中書監司空文公高允鑒代之儒宗見而異之復以女妻焉太和中
聲肆魏郡太守竟明驗下而德洽于民始中徵為大尉高陽王諮議參軍
有古人之風焉而禮俯而轉大司農少卿均節九賦以豐邦國
都督洛州諸軍事龍驤將軍洛州刺史公之立政惠流而壇平蕩施群地一
汝汚成功晉考上天不弔忽焉殞熙平元年秋七月廿六日春秋七十有
朝廷痛悼百寮追惜贈使持節都督兗州諸軍事平東將軍兗州刺史侯如故謚曰
惠禮也惟公為子也孝為父也慈在臣也忠居蕃也清處兄弟穆常棣之親朋友
之信尊賢容眾博施無窮戴仁抱義行藏罔帶溫恭好善未渝萬小行
之篇駭痛龜筮之告祥奉靈輀而歸懷遷神柩於故鄉以二年歲次丁酉冬十月己丑
朔九日丁酉窆於饒安城之西敕孝義里 皇考儀同簡公神塋之左松門永閟深扃
長鍵席鐫石於下壤作誌惠於幽泉其辭曰
攸攸縣胄帝僮之流驛代貞賢自唐暨晉明哲迭興忠能繼儁在洛雲居祖揚岳鎮家
鯨興虐金磨道亡於昭我祖違難來翔位班鼎列朝望斯光顯顯懿考奉攝膺璜
依仁挺信據德標明紐龜出守入讚台衡忠露千里道歷槐庭清風遂被徽音遠盈句
登農載措稼是司魏魏高廩禮教將怡邊城侯捍戎氓佇治秉秩靡命輦收宣威方埘
乘和其必壽泣信順而祖傾攀號兮罔許摧裂兮海聲銘遺德兮心

按刁氏誌銘鐫於元魏熙平間歷隋唐五代宋元明以迄今
日蓋千餘年矣里人自廢寺址掘出又四五十年余始從
石景僕孝廉訪而得之但字多殘壞一角闕如贈之洛南薛
尺菴先生先生曰石被剝蝕蒼福雷轟古物之不完由來舊
矣況晉帖盡是摹臨唐碑率多鈎勒茲誌端楷古秀蓋
去晉未遠而風格猶存且今之書法自唐而溯晉此誌
書法則由晉以開唐希世之寶顯晦有時其諸
在余唯唯搨之以貽當代之嗜古者乾隆二十
七年歲次壬午渤海劉克綸吾亭
氏識

文楚之魏使持節侍中鎮西大[illegible]
啓府儀同三司[illegible]
三弟紹奉[illegible]
妻河内司[illegible]
四弟歆奉[illegible]
妻燕郡[illegible]
五弟[illegible]
[illegible]蕭奉[illegible]
[illegible]守中書監[illegible]
[illegible]令[illegible]
[illegible]
第三子[illegible]
第[illegible]侍右[illegible]
妻[illegible]司部[illegible]
青[illegible]
[illegible]子振[illegible]
[illegible]
[illegible]妻[illegible]
[illegible]民[illegible]
[illegible]陽[illegible]
[illegible]民[illegible]
[illegible]宗報[illegible]
[illegible]侍[illegible]
[illegible]侍郎[illegible]

【志陽】魏故使持節都督洛兗州（諸軍事）……／高祖協，玄亮，晉侍中、尚書左僕／（射）……夫人彭城曹氏。父義，／晉梁國中……曾祖彝，太倫，晉侍／中、徐州牧、司空、義陽……祖暢，／仲遠，晉中書令、金紫左光祿大／

金紫光祿大夫，官名，晉初有光祿大夫，授銀章青綬，如加賜金章紫綬，則爲金紫光祿大夫。

夫、建平……父雍，淑和，皇魏使／持節、侍中、都督揚豫兖徐四州／（諸軍事）、……徐豫冀三州刺史、東安簡／公。夫人瑯琊王氏，父……／公諱遵，字奉國，勃海饒安人也。／姓氏之興，録於帝圖，中葉……／

勃海饒安：勃海郡饒安縣，治所在今河北省鹽山縣西南千童鎮，北魏屬滄州。

帝圖：或是書名。

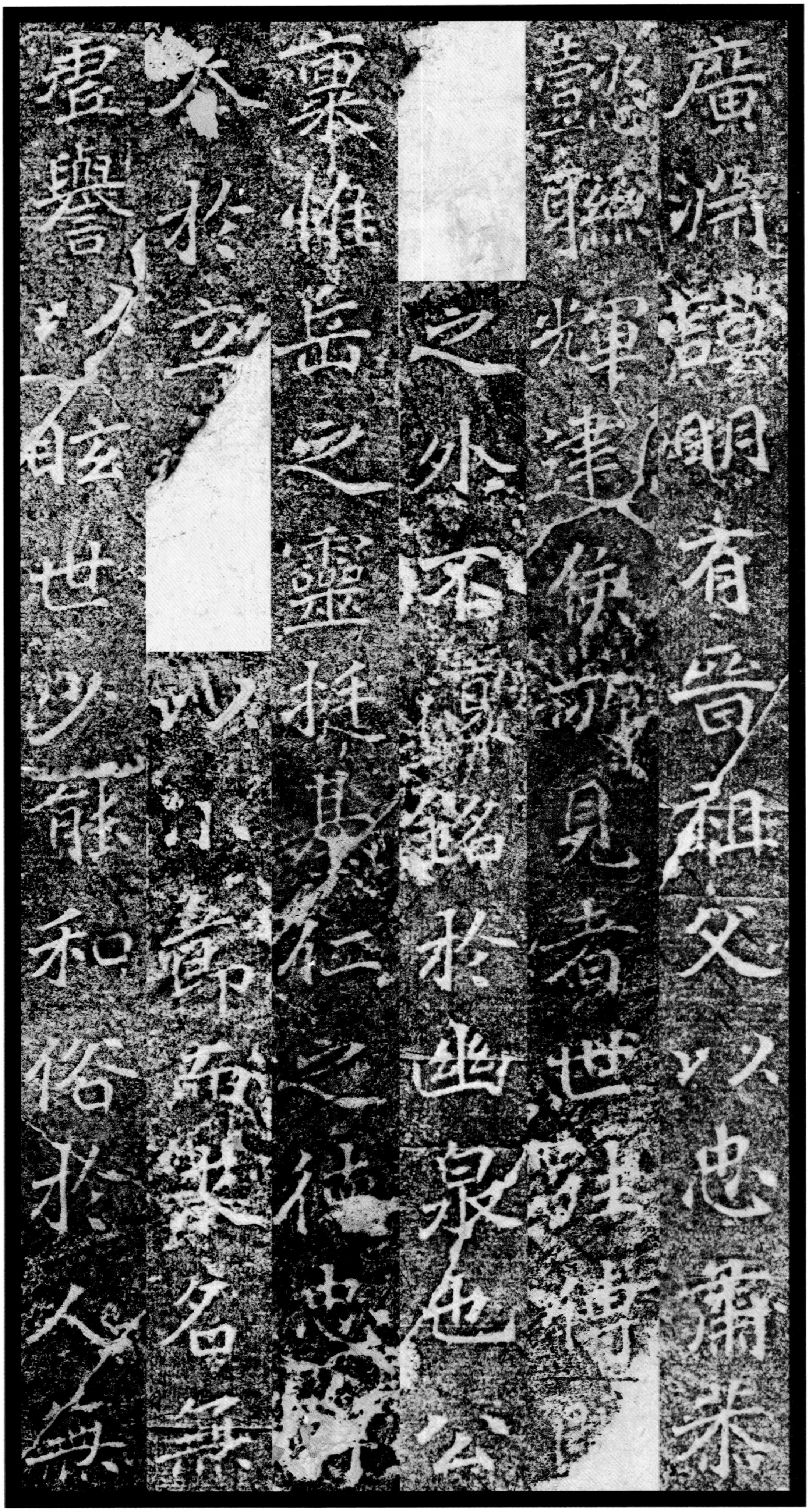

（齊聖）廣淵，謨明有晉。祖、父以忠肅恭／懿，聯輝建侯。所見者世往傳□／……之外，不復銘於幽泉也。公／稟惟岳之靈，挺基仁之德，忠（孝）／本於立……以小節而求名，無／虛譽以眩世。少能和俗，於人無／

齊聖廣淵：四種美好的德性。《左傳·文公十八年》：『昔高陽氏有才子八人……齊聖廣淵，明允篤誠。天下之民，謂之八愷。』孔穎達疏：『齊者，中也，率心由道，舉措皆中也。聖者，通也，博達衆務，庶事盡通也。廣也，寬也，器宇宏大，度量寬弘也。淵者，深也，知能周備，思慮深遠也。』

謨明：謀略美善。

基：通『其』。其仁：典出《論語·憲問》：『子路曰：「桓公殺公子糾，召忽死之，管仲不死，曰未仁乎？」子曰：「桓公九合諸侯，不以兵車，管仲之力也。如其仁？如其仁！」』其仁之德：指仁德甚重。

肅：敬。

懿：美好。

無際：沒有間隙。

愕：通『諤』。諤：直言。

諤然：意爲正直高傲。

代：魏的别稱。

際，但昂然愕然者，……侍中、／中書監、司空文公高允，皇代之／儒宗，見而異之，便以女妻焉。太／和中，（襲）……尋拜魏郡太守。寬明／臨下，而德洽於民。正始中，徵爲／太尉高陽王諮議參軍事，……／

有古人之風，器而禮焉。俄而轉／大司農少卿，均節九賦，以豐邦／用。蒞事未期，遷使（持節）、都督洛／州諸軍事、龍驤將軍、洛州刺史。／公之立政，惠流兩壃，平陽慕化，／辟地二百。方一江汅，成功告老。／

壃：同「疆」。

汅：水名。漢水上流，在陝西省西南部。

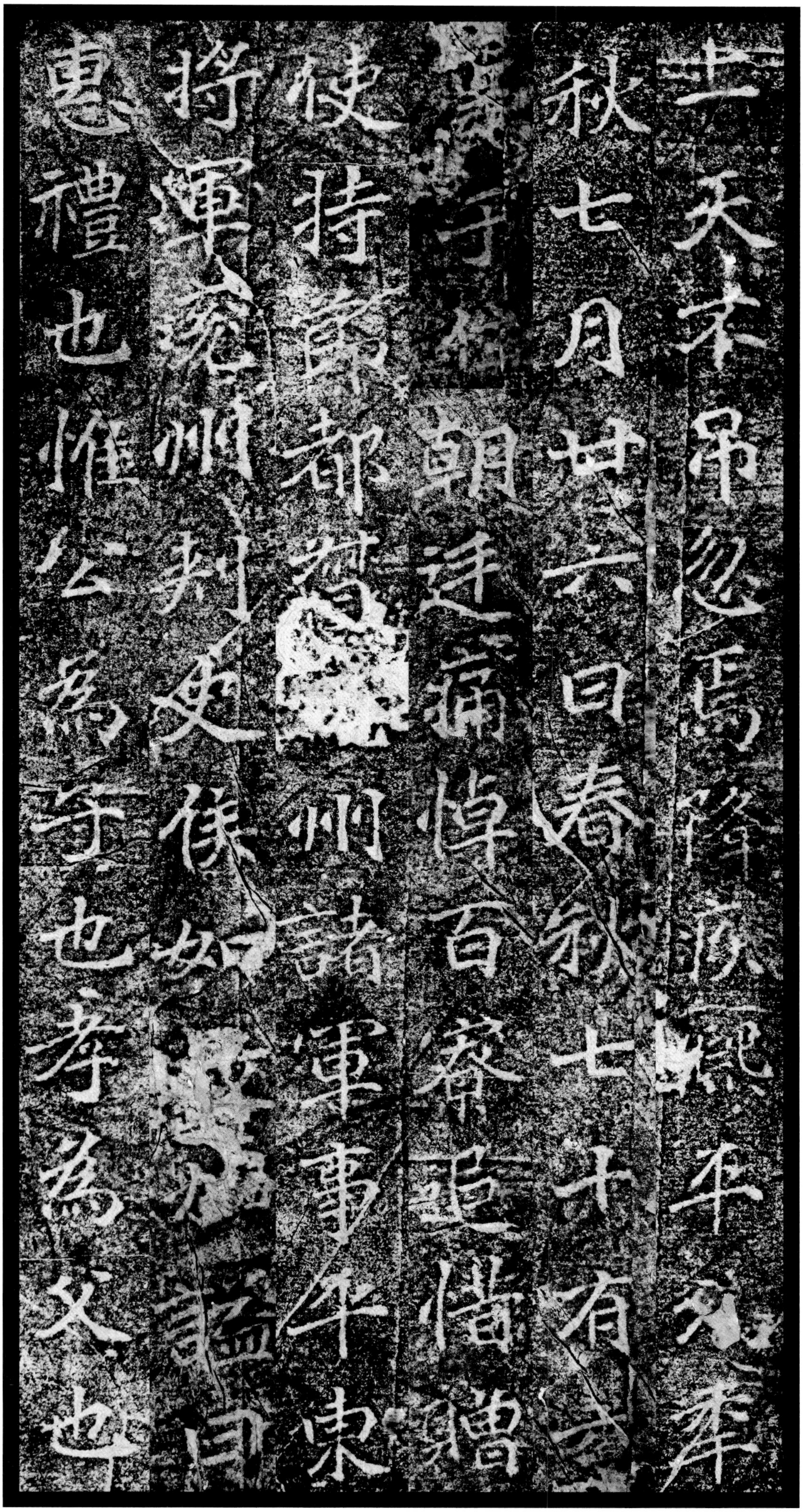

上天不弔，忽焉降疾。熙平元年╱秋七月廿六日，春秋七十有六，╱薨於位。朝廷痛悼，百寮追惜，贈╱使持節、都督兖州諸軍事、平東╱將軍、兖州刺史，侯如故，加謚曰╱惠，禮也。惟公爲子也孝，爲父也╱

弔：善，良好。《左傳・哀公十六年》：『十六年夏四月己丑，孔丘卒。公誄之曰：「旻天不弔，不憖遺一老。」』

寮：通『僚』。百寮：百官。

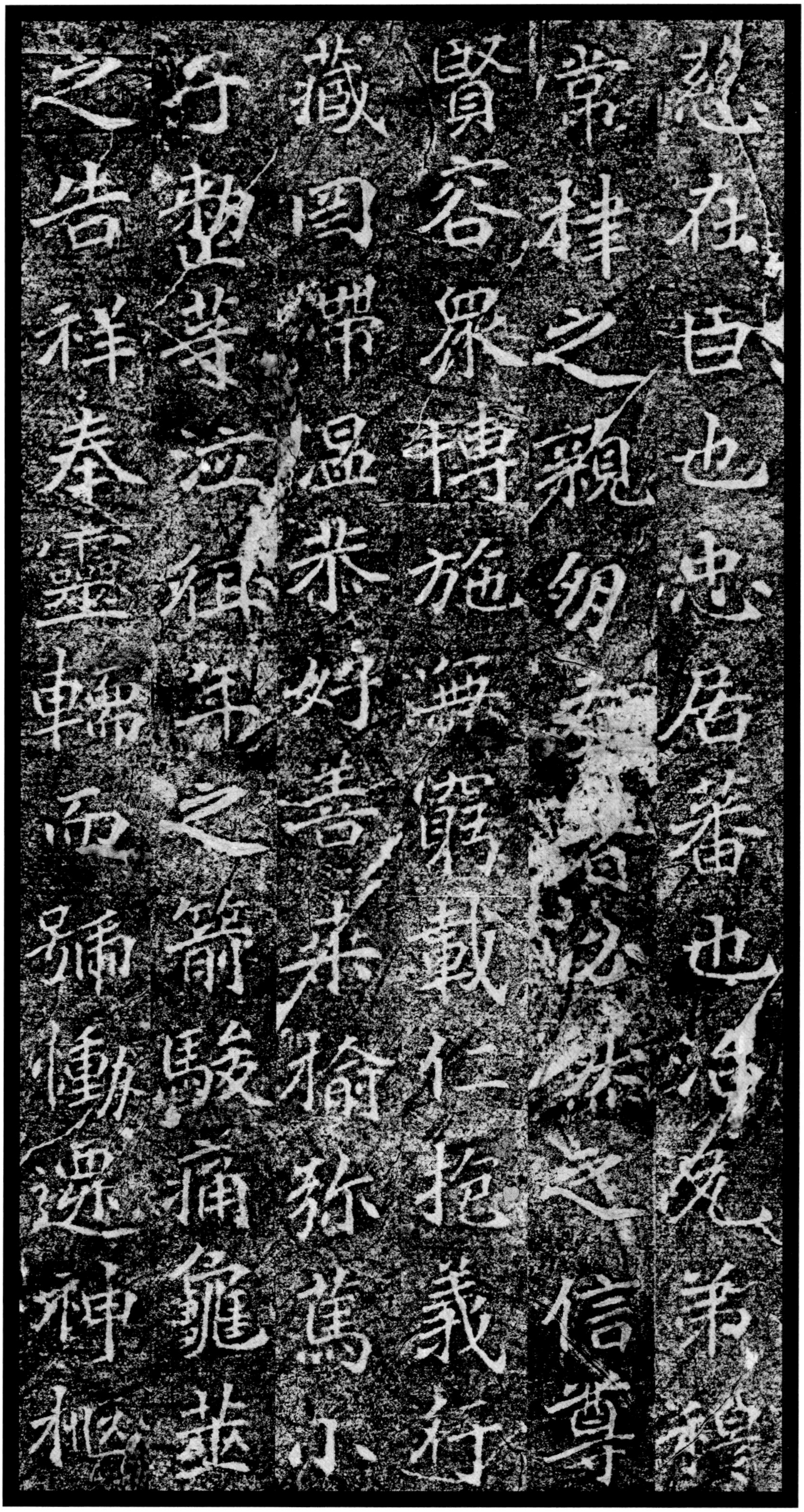

慈，在臣也忠，居蕃也治。兄弟穆／常棣之親，朋友著必然之信。尊／賢容衆，博施無窮。載仁抱義，行／藏罔滯。温恭好善，桑榆彌篤。小／子慜等，泣徂年之箭駿，痛轜笠／之告祥，奉靈轜而號慟，遷神柩／

常棣：木名。古喻兄弟。典出《詩經·小雅·棠棣》：『棠棣之花，鄂不韡韡，凡今之人，莫如兄弟。』詩序：『棠棣，燕兄弟也。』

慜：同『整』。

徂年：流年，光陰。徂：往。

載：通『戴』。戴仁：崇尚仁德。《禮記·儒行》：『戴仁而行，抱義而處。』

蕃：通『藩』，邊防重鎮。

靈轜：靈車。

桑榆：本指日暮。日落時光照桑榆樹端，故有此意。此比喻晚年。

行藏：行止，出入，顯隱。行藏罔滯：指無論爲官或閑居，均行事通達。

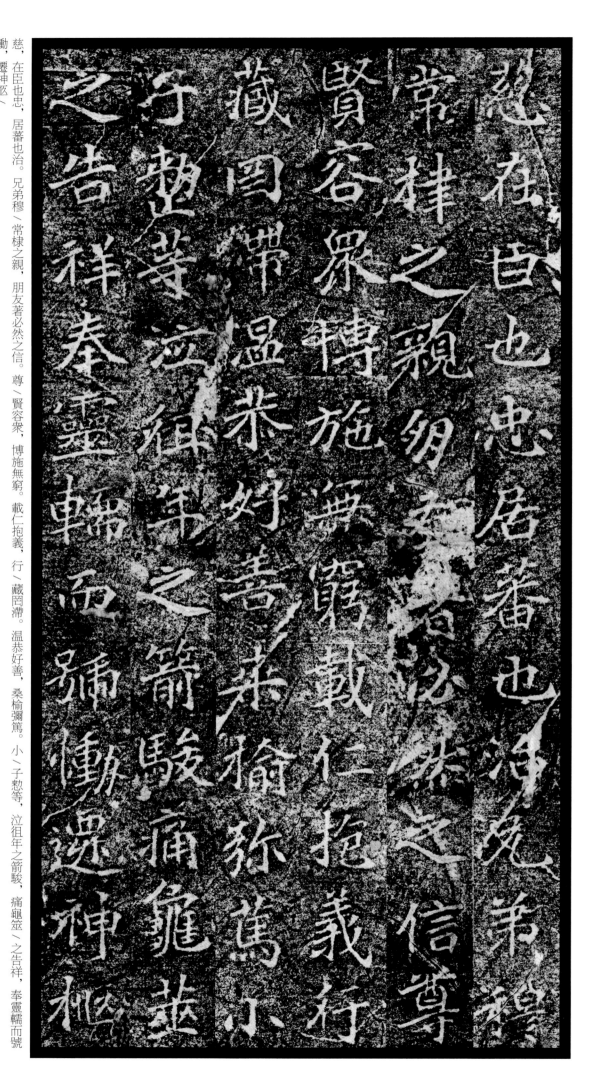

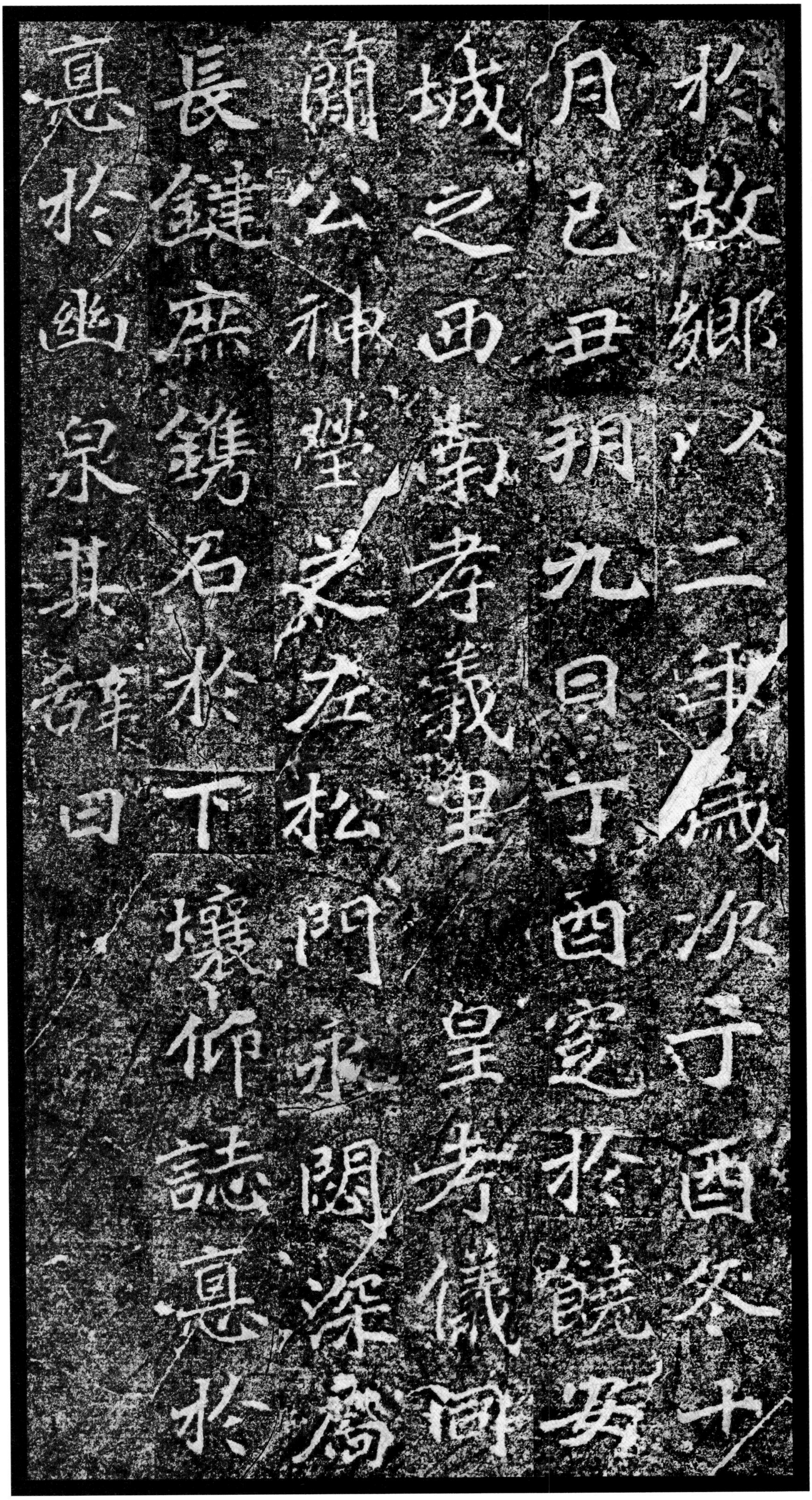

於故鄉。以二年歲次丁酉冬十／月己丑朔九日丁酉，窆於饒安／城之西南孝義里，皇考儀同／簡公神塋之左。松門永閟，深扃／長鍵，庶鐫石於下壤，仰志德於／幽泉。其辭曰：／

松門：指墓門。

窆：下葬。

扃：從外面關門的門閂、鎖等。鍵：指鎖住。

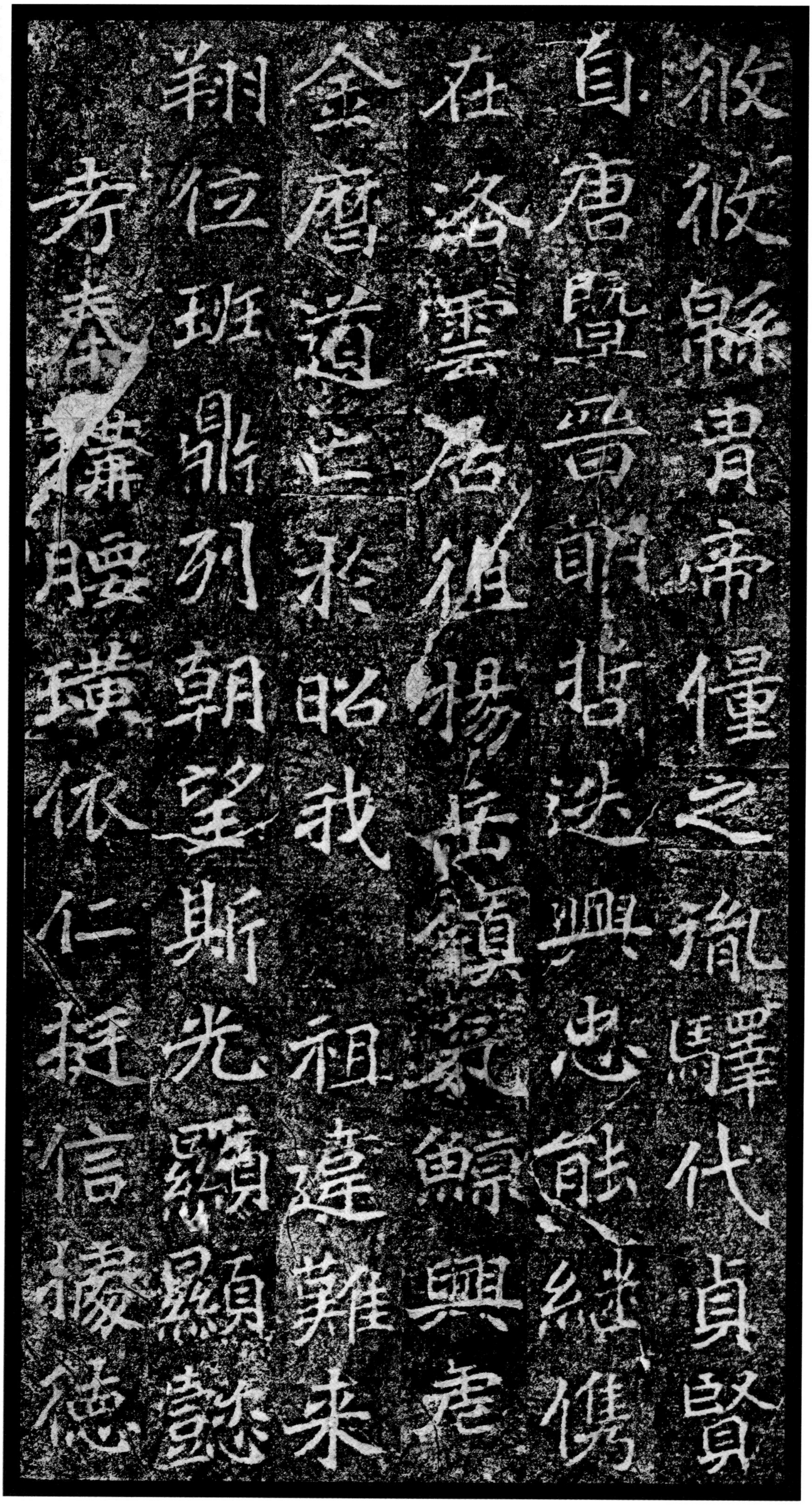

攸攸綿胄，帝僶之胤。驛代貞賢，/自唐暨晉。明哲迭興，忠能繼儁。/在洛雲居，徂楊嶽鎮。氛鯨興虐，/金曆道亡。於昭我祖，違難來/翔。位班鼎列，朝望斯光。顯顯懿/考，奉構腰璜。依仁挺信，據德/

金曆：指晉的國運。古代以金木水火土五行相生説喻示國運，《册府元龜》卷一：『魏承漢火生土，故魏爲土德；晉承魏土生金，故晉爲金德。』金曆道亡：指晉國運衰退，道統淪喪。

僶，未識何字，待考。下文説『自唐暨晉』，推測『帝僶』可能指帝堯。

奉構：或指侍奉朝堂。

腰璜：腰掛玉璜，代指達官顯貴。

驛代：猶言世代、歷代。

岳鎮：指封疆大吏。

氛鯨：形容暴亂猖獗，氣勢極盛。

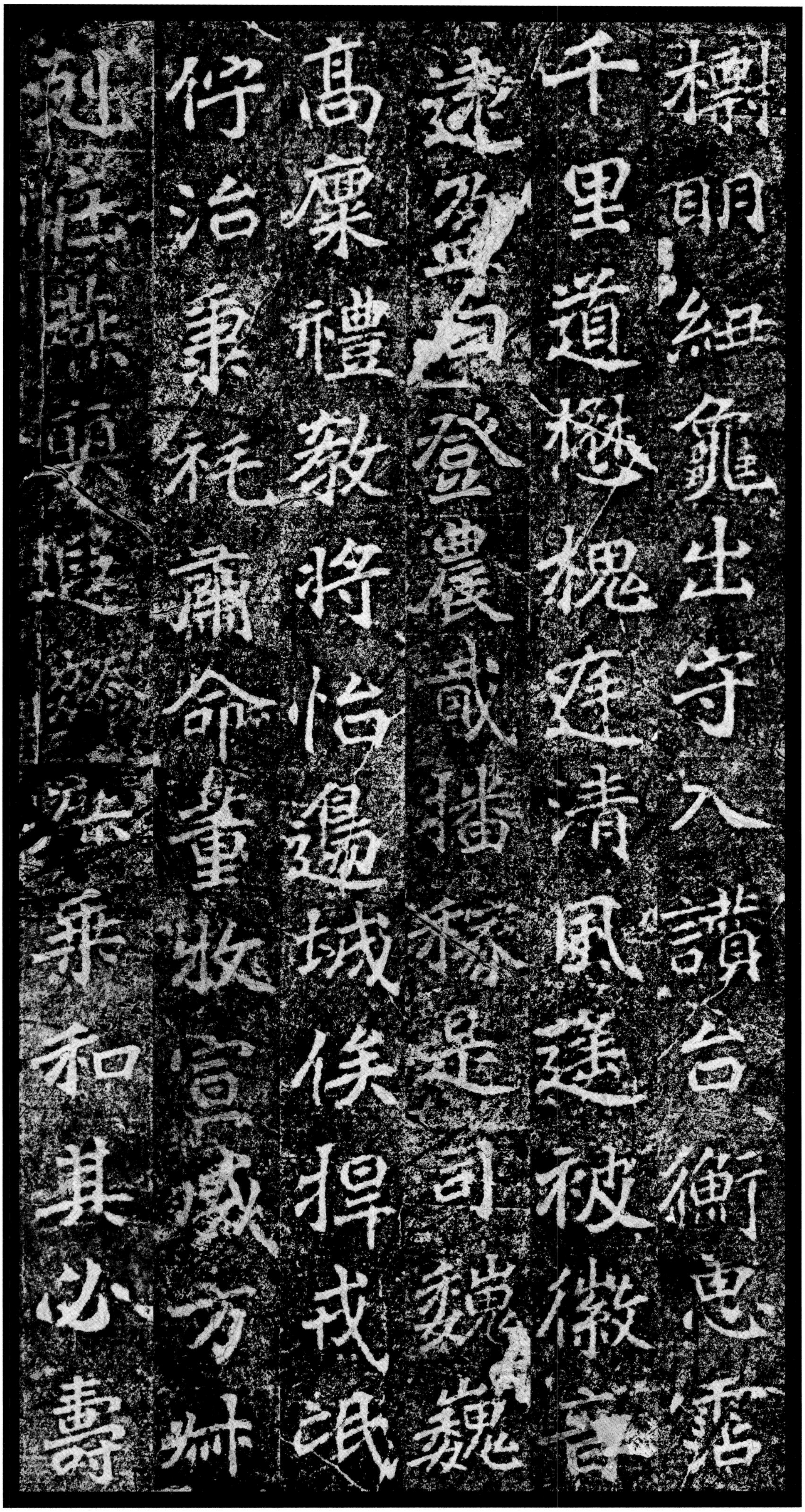

標明。紐龜出守，入讚台衡。惠霑／千里，道懋槐庭。清風遥被，徽音／遠盈。曰登農戠，播稼是司。巍巍／高廩，禮教將怡。邊城俟捍，戎氓／佇治。秉旄肅命，董牧宣威。方叔／克莊，燕奭遐齡。庶乘和其必壽，／

廩：糧倉。

秉旄：喻大臣奉命行權。

典出《詩經·小雅·采芑》：『方叔元老，克壯其猶。』方叔：周宣王的大臣，是出征荊蠻的主帥。克：能。壯：宏大。

紐：此指印紐，通常作『印鈕』，古代印章上端鑄刻的用以穿綬把握的飾物。紐龜：即龜鈕。守：此處是太守的省稱。

武王、成王時的大臣。武王克商，封於燕。據《風俗通》載，召公奭壽一百九十多歲，《路史》則作一百八十多歲。故此處稱燕奭遐齡。

懋：美，盛大。槐庭：喻三公之位。

戠：通『職』。

三台星。衡：玉衡，北斗杓三星。

牧：州的長官。董牧：指主持州政。

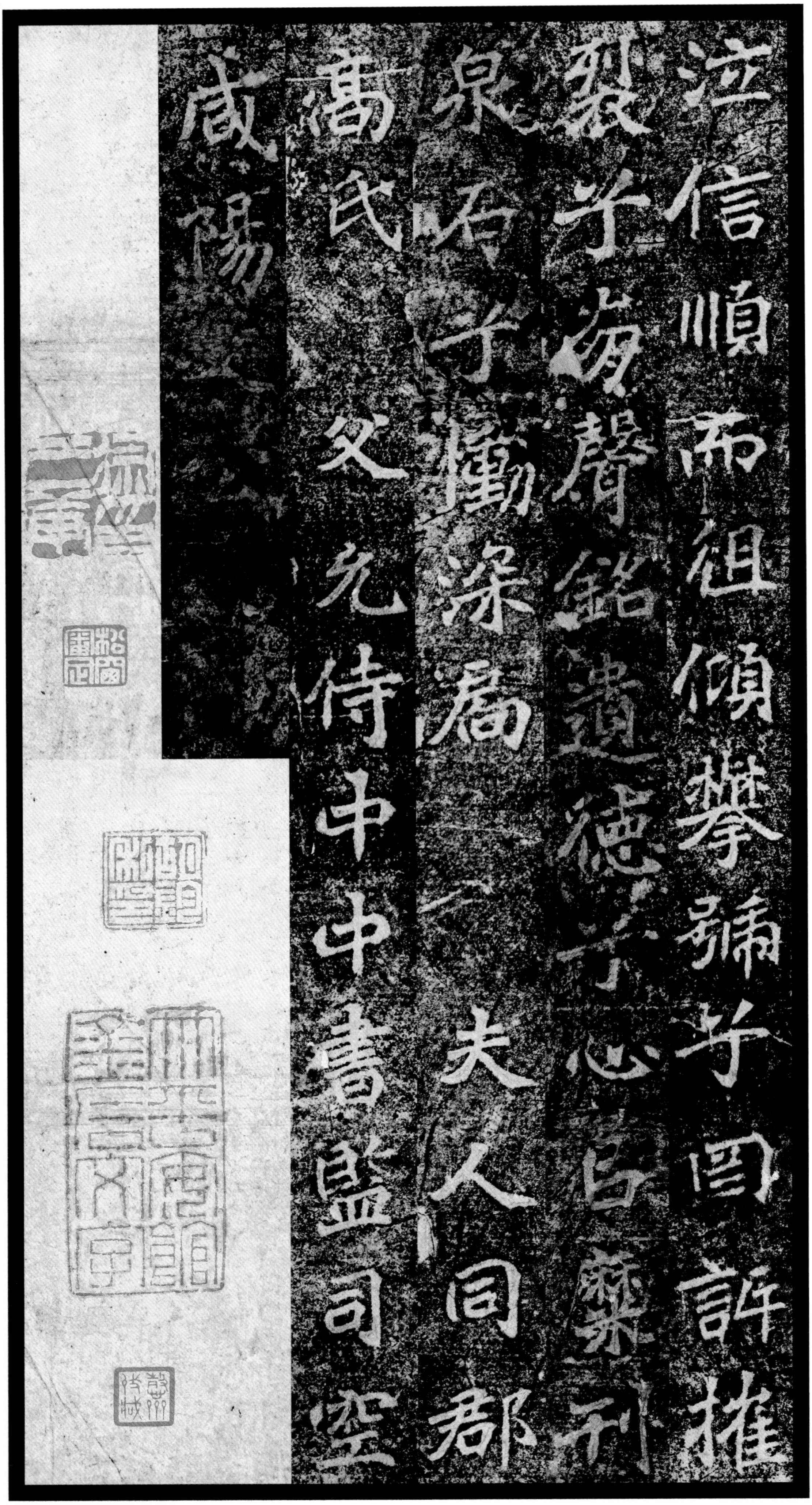

泣信順而徂傾。攀號兮罔訴，摧／裂兮崩聲。銘遺德兮心以糜，刊／泉石兮慟深扃。夫人同郡／高氏。父允，侍中、中書監、司空、／咸陽文公。／

糜：爛，碎。心以糜：心爲之碎，極言傷痛之情。

按刁氏誌銘鐫於元魏熙平間歷隋唐五代宋元明以迄今日蓋千餘年矣里人自廢寺趾掘出又四五十年余始從石景僕孝廉訪而得之但字多殘壞一角闕如質之洛南陸尺菴先生先生曰石鼓剝蝕薦福雷轟古物之不完由來舊矣况晉帖盡是摹臨唐碑半多鉤勒茲誌端楷古秀筆意去晉未遠而風格猶存且今之書法自唐而溯晉此誌書法則由晉以開唐爲希世之寶顯晦有時其在諸君乎余唯唯而摘之以質當代之嗜古者乾隆二十七年歲次壬午渤海劉克綸吾亭氏識

【志陰】釋文略。

安
一
三弟
紹奉
氏文
妻河内司

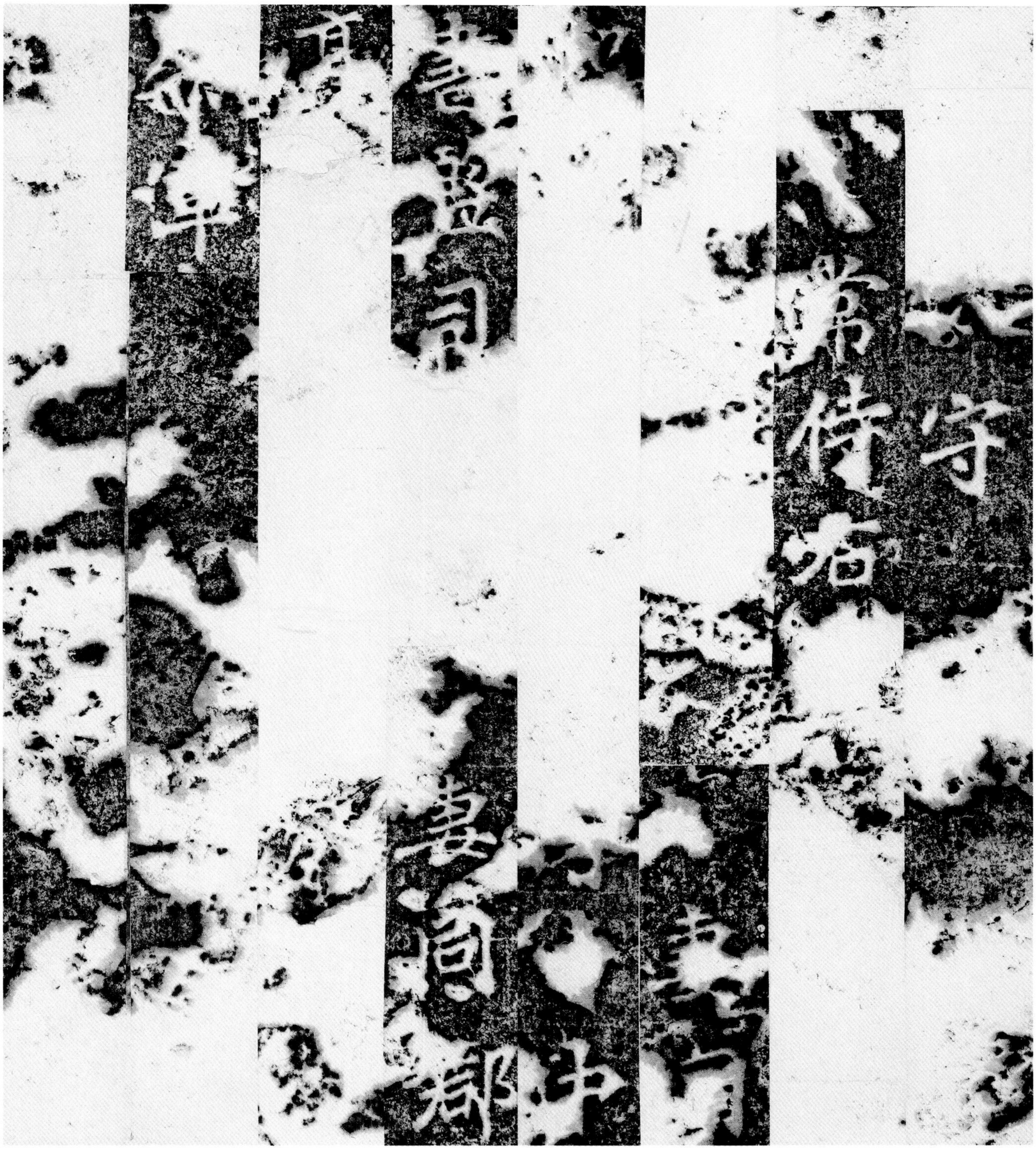
守
常侍右
司
郡

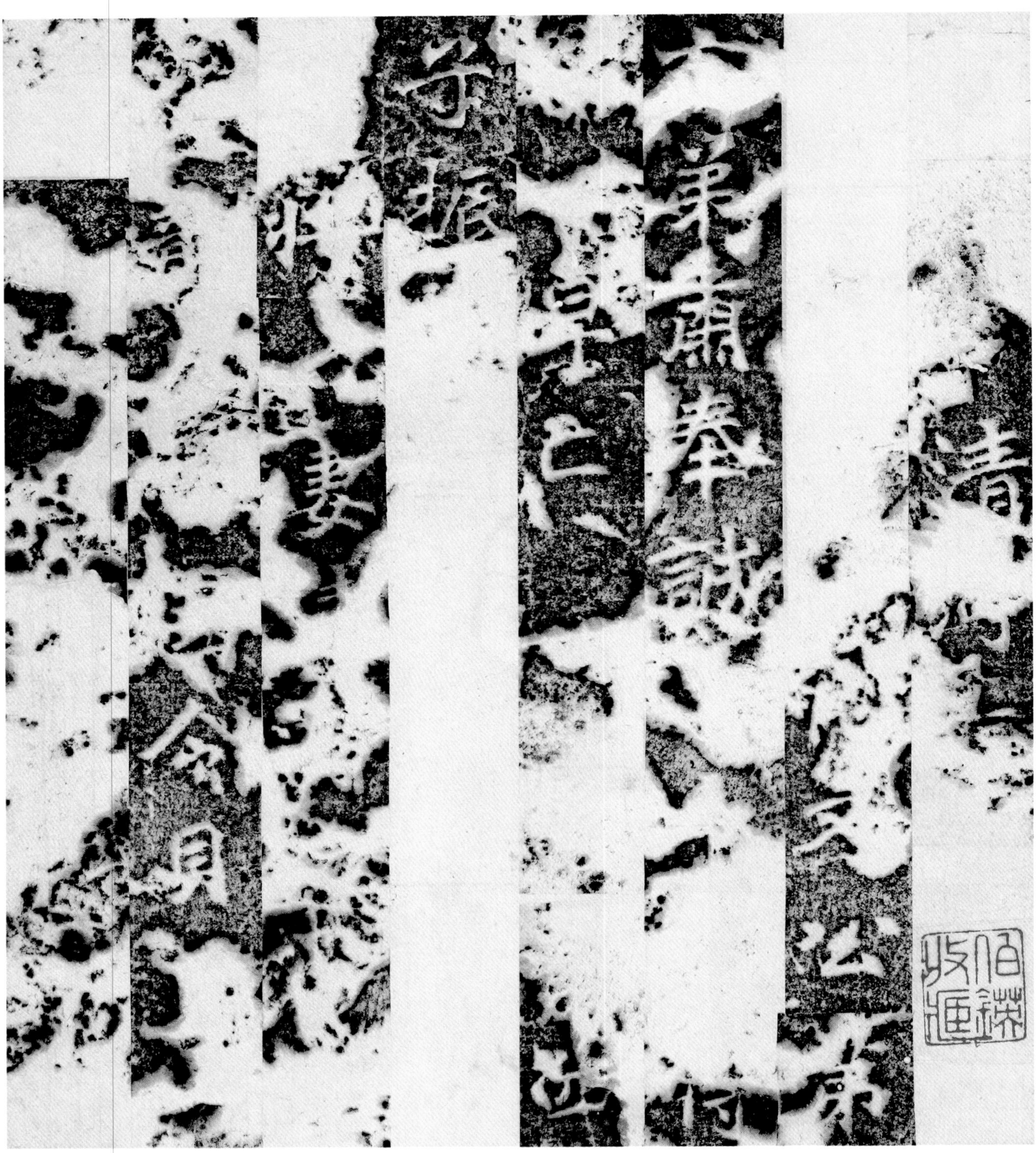

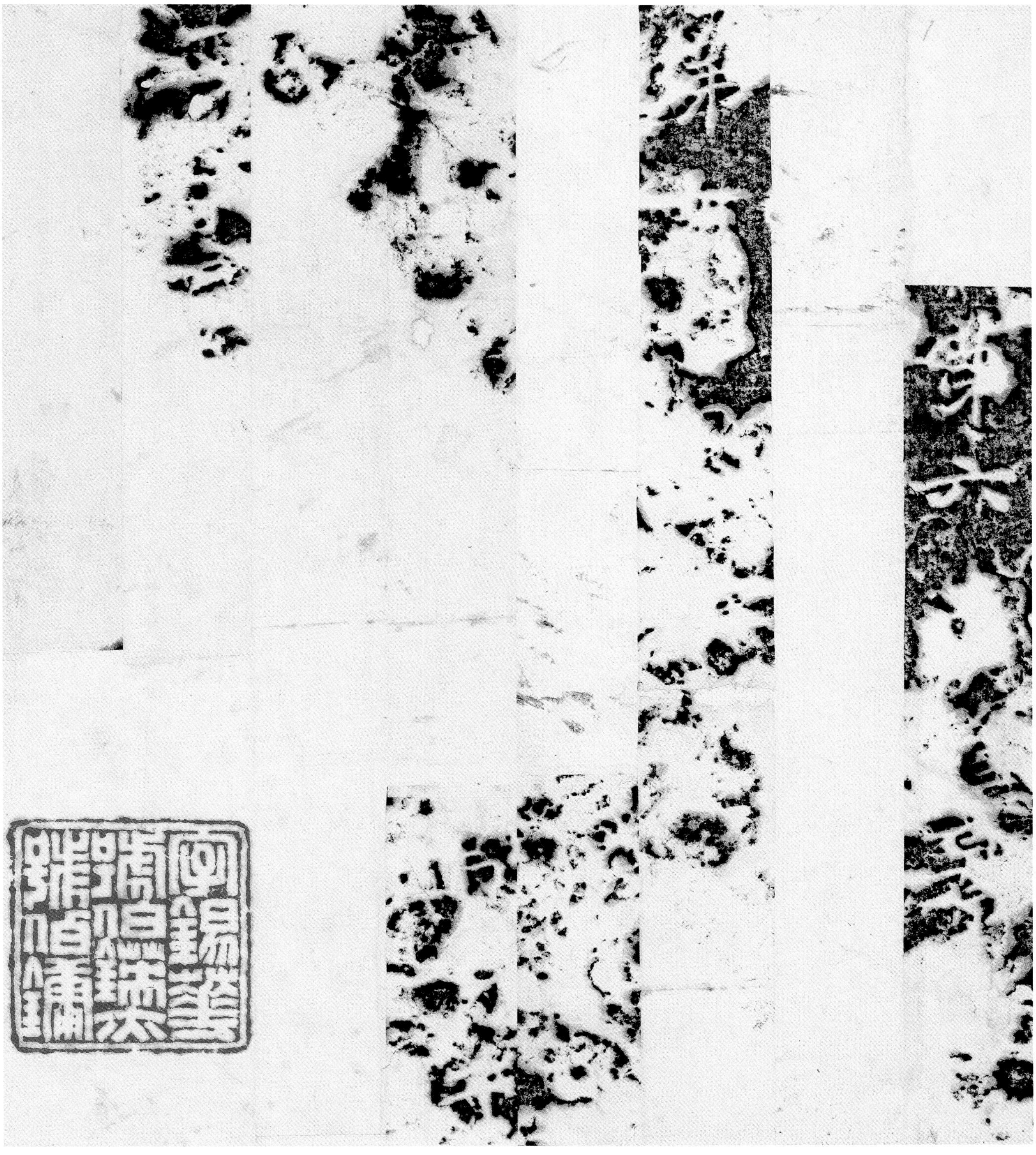

刁惠公碑初拓皆漘余已數數見矣是本字口較光緣拓用乾墨故也原爲碩卿張君篋中物不知何時棄落偶來海上得之快甚且予書於此碑最相近久以未得善拓爲憾今得此亦臨池一助也 光緒廿五年秋八月四日陸恢得後記

碩卿姓章非張即宛委山館主人

七月中至南潯忽遇帖友以王偃墓志見售人皆以其習見忽之不知初出土精拓亦可貴也予亟取之越半月即得此日喜而附識焉 恢又筆

得此志後即假近拓較對多三十餘字 廉夫記

章頋卿名壽康光緒間以縣令需次于鄂溫雅好書收藏至富在京師嘗與人爭購古籍及出宰百里而與爭古籍者適典郡乃借端劾之既罷職貧不能自存然尚典衣所藏以刊前人遺著其篤學好古如此見上虞羅叔蘊著亦襄陽冢墓遺文序卅六年丁亥正月三日吳江陸翔攷録于滬西

崔敬邕墓志

王漁洋居易錄陽羨門人
陳宗石子萬爲安平令偶從
田壠間掘得北魏崔敬邕墓
志銘石刻字類李北海不著
撰書人姓名祖父名爵皆列
碑題之前

魏崔敬邕墓誌銘

自怡齋珍藏

魏崔敬邕墓誌銘

吉祥雲室珍玩

崔敬邕墓志

熙平二年

西蠡秘笈

崔敬邕：傳見《魏書》卷四五《崔挺傳》後，又見《北史》卷三二《崔挺傳》附。

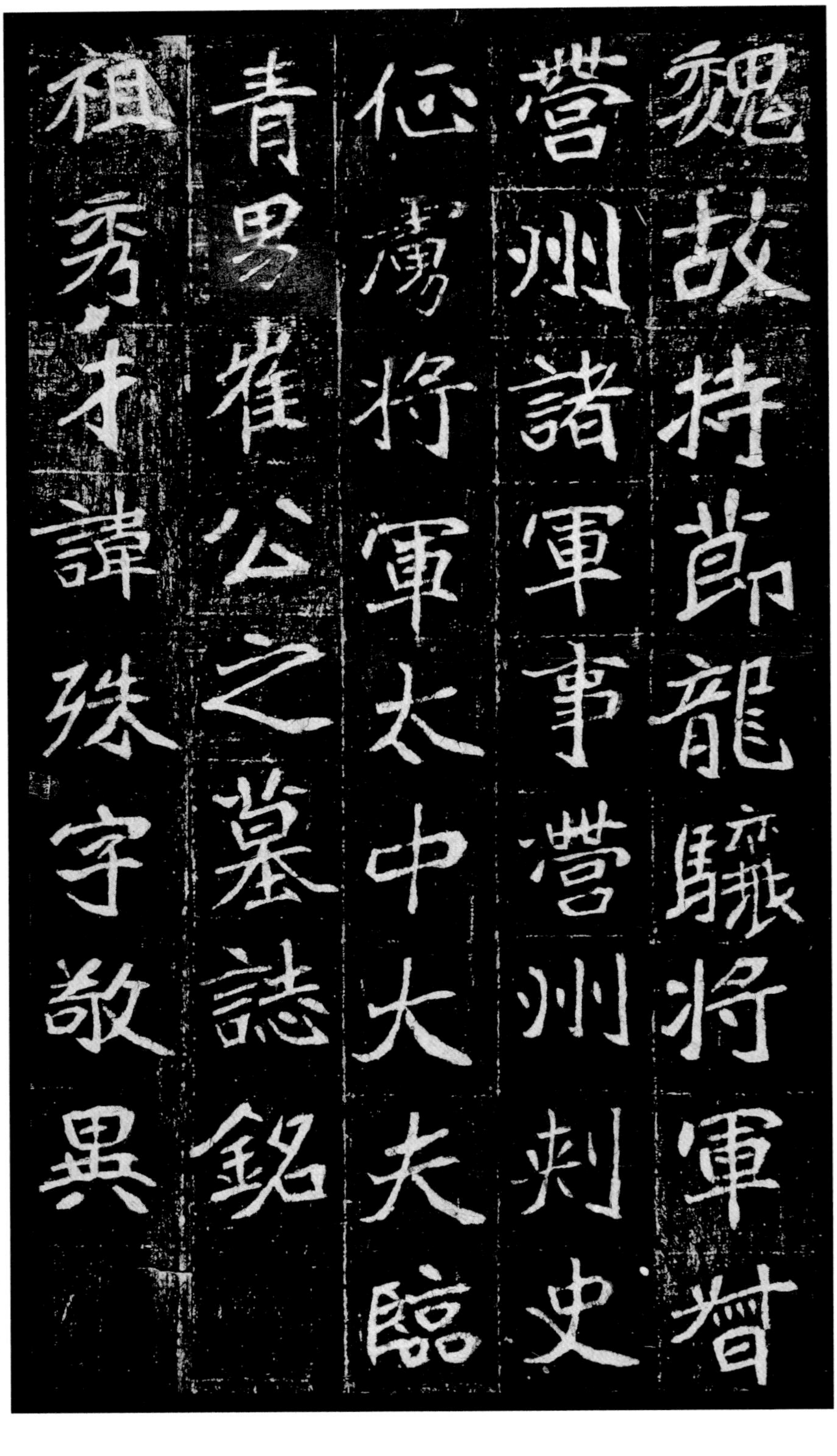

魏故持節、龍驤將軍、督/營州諸軍事、營州刺史、/征虜將軍、太中大夫、臨/青男、崔公之墓志銘。/祖秀才，諱殊，字敬異。/

夫人中書、趙國李詵女。／君諱敬邕，博陵安平人／也。夫其殖姓之始，蓋炎／帝之胤。其在隆周，遠祖／尚父，實作太師，秉旄鷹／

殖：生長，繁殖。殖姓之始：猶言姓氏繁衍之初。

胤：子孫，後裔。按，《新唐書·宰相世系表》及《元和姓纂》等載，崔姓源出於呂尚，呂尚本姓姜，姜氏則是炎帝神農氏的子孫，故此稱『炎帝之胤』，下文稱『遠祖尚父』。

尚父：即呂尚，字子牙。其先祖本屬姜姓部落，傳封於呂而稱呂尚。武王滅商後封於齊，任太師。俗稱『姜太公』。

秉旄：持握旌旗。借指掌握兵權。

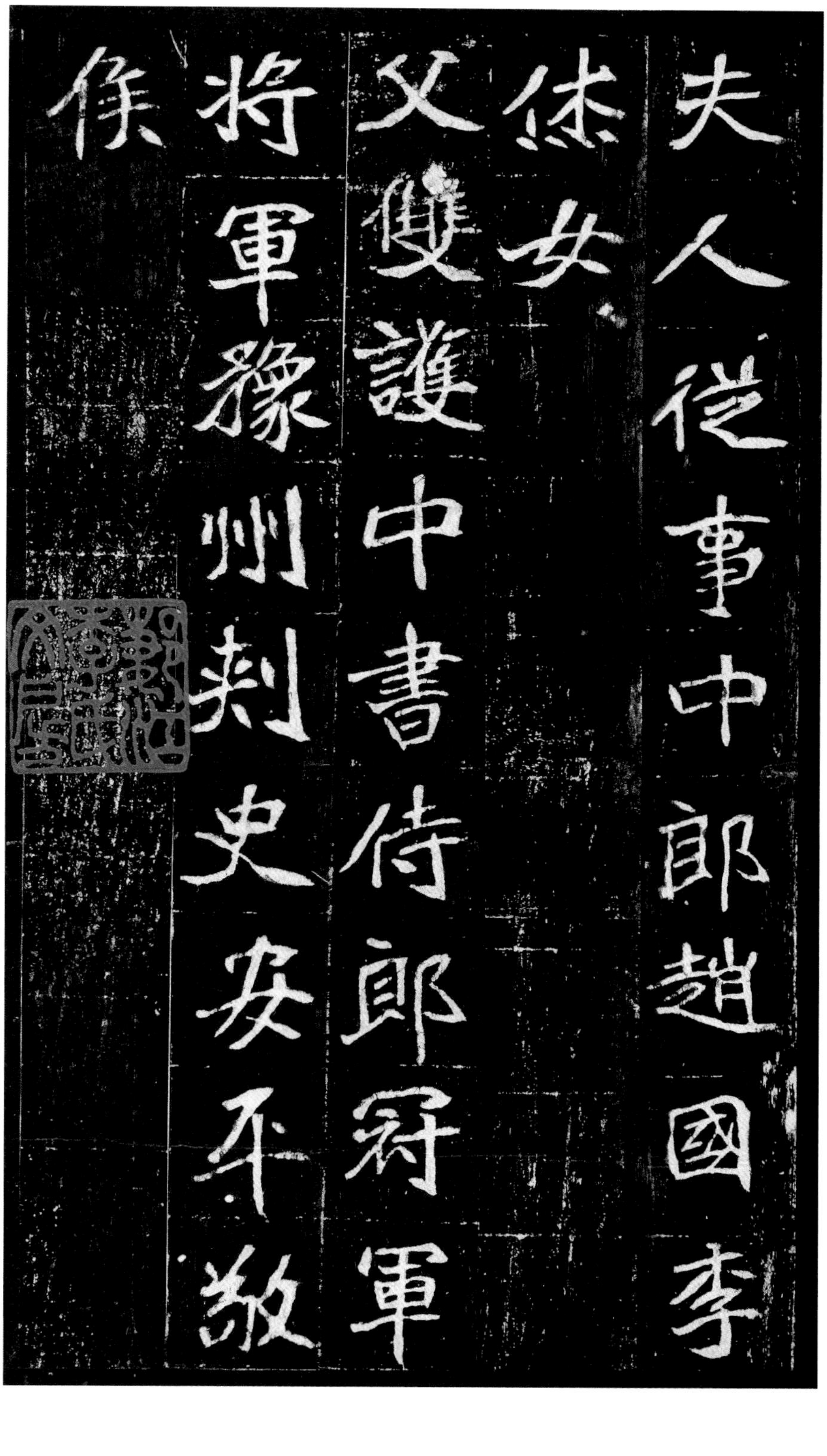

夫人從事中郎、趙國李／㣊女。／父雙護，中書侍郎、冠軍／將軍、豫州刺史、安平敬／侯。／

揚剋佐揃殷若乃遠源
之冨弈世之美故以備
之前冊不待詳録君即
豫州刺史安平敬侯之
子胄積仁之基累榮搆

揚，剋佐揃殷。若乃遠源／之富，弈世之美，故以備／之前册，不待詳録。君即／豫州刺史、安平敬侯之／子。胄積仁之基，累榮搆／

鹰揚：威武貌。

揃：翦除，消滅。

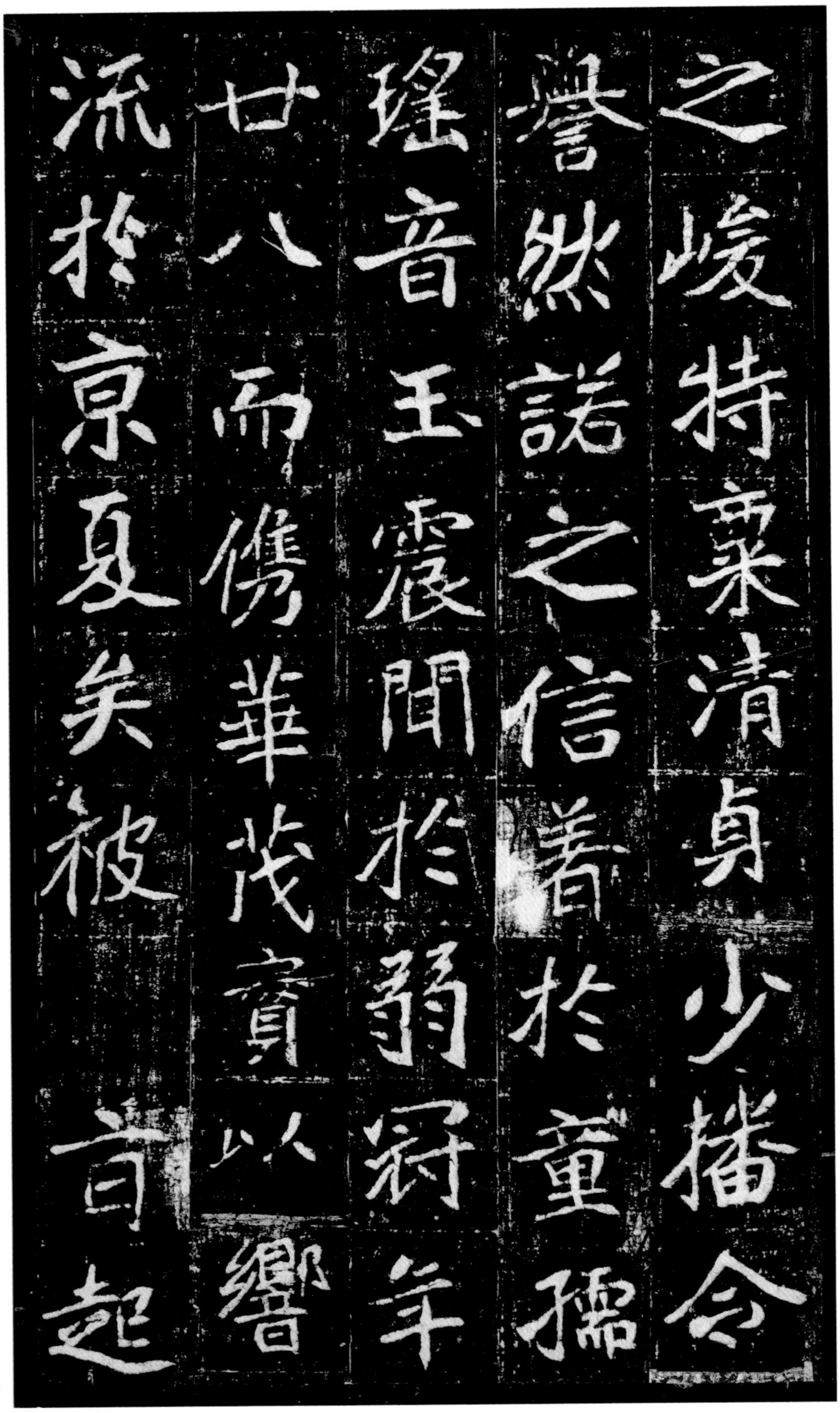

之峻。特稟清貞，少播令／譽。然諾之信，著於童孺；／瑤音玉震，聞於弱冠。年／廿八而儁華茂實，以響／流於京夏矣。被旨起／

京夏：猶華夏，謂全國。

起家：謂從家中徵召出來，授以官職。

納贊：入贊，入幕府。

槐衡：槐庭、台衡，均喻指三公、宰輔大臣。

和鼎味：調和鼎中羹的五味。語本《尚書·説命下》：『若作和羹，爾惟鹽梅。』後世比喻輔佐君主的宰臣。

崇：興起，興盛。正：通『政』。大崇革正：大舉興起改革政令的措施。

家，召爲司徒府主簿，納／贊槐衡，能和鼎味。俄而／轉尚書都官郎中。時／高祖孝文皇帝將改制／創物，大崇革正，復以君／

詮：通『銓』。詮叙：銓選，排列。
彝倫：指銓選官吏。

副光崇正：指北魏宣武帝元恪於太和二十一年（四九七）正月立爲皇太子。

東朝：指太子宮。

兼吏部郎詮叙彝倫九
流斯順太和廿二年春
宣武皇帝副光崇正妙
簡宮衛復以君爲東朝
步兵景明初丁母憂還

兼吏部郎，詮叙彝倫，九/流斯順。太和廿二年春，/宣武皇帝副光崇正，妙/簡宮衛，復以君爲東朝/步兵。景明初，丁母憂還/

家，居喪致毀，幾於滅性。/服終，朝廷以君膽思/凝果，善謀好成，臨事發/奇，前略無滯，徵君拜爲/左中郎將、大都督中山/

王長史。出圍僞義陽，城／拔颽旋。君有協規之効，／功績隆盛，授龍驤将軍、／太府少卿、臨青男。忠勤／之稱，寔顯於茲。永平初，／

颽：通『凱』。

効：同『效』。協規：共同謀劃。

聖主以遼海戎夷，宣化/佇賢，肅慎契丹，必也綏/接。於是除君持節、營州/刺史，將軍如故。君軒鑣/始邁，聲猷以先。麾蓋踐/

軒鑣：代指車馬。

聲猷：聲譽和業績。以：通『已』。

麾蓋：將帥用的旌旗傘蓋，泛稱儀仗。

壃：同『疆』。

逋：本義是逃亡，逃跑。逋遐：逃亡之人。

邊服：指離開王畿極遠的地方。

壃而温膏均被於是殊
俗知仁荒嵎識澤惠液
達於逋遐德潤潭於邊
服延昌四年以君清政
懷柔宣風自遠徵君為

壃，而温膏均被。於是殊／俗知仁，荒嵎識澤。惠液／達於逋遐，德潤潭於邊／服。延昌四年，以君清政／懷柔，宣風自遠，徵君爲／

征虜将軍、太中大夫。方／授美任，而君嬰疾連歲，／遂以熙平二年十一月／廿一日卒於位。縉紳痛／惜，姻舊咸酸。依君績行，／

息：子嗣，兒子。孤息：即孤子。

疚：本指疾病。在疚：此指居喪。

㒺：通『罔』，無。

蒙贈左將軍、濟州刺史，／加謚曰貞，礼也。孤息伯／茂，銜哀在疚，摧號罔訴。／泣庭訓之崩沉，淚松楊／之以樹。洞抽絶，其何言。／

刊遺德，於泉路。其辭曰：/綿哉遐冑，帝炎之緒。爰/歷姬初，祖唯尚父。曰周/曰漢，榮光繼武。邁德傳/輝，儒賢代舉。於穆㲉考，/

武：足迹。繼武：本意指足迹相接，比喻事物相繼而至。

於穆：對美好的讚嘆。

㲉：同『睿』。

誕質：天生的資質。

淵明：深遠明達。

彝叙：亦作『彝序』，即上文『詮叙彝倫』之義。

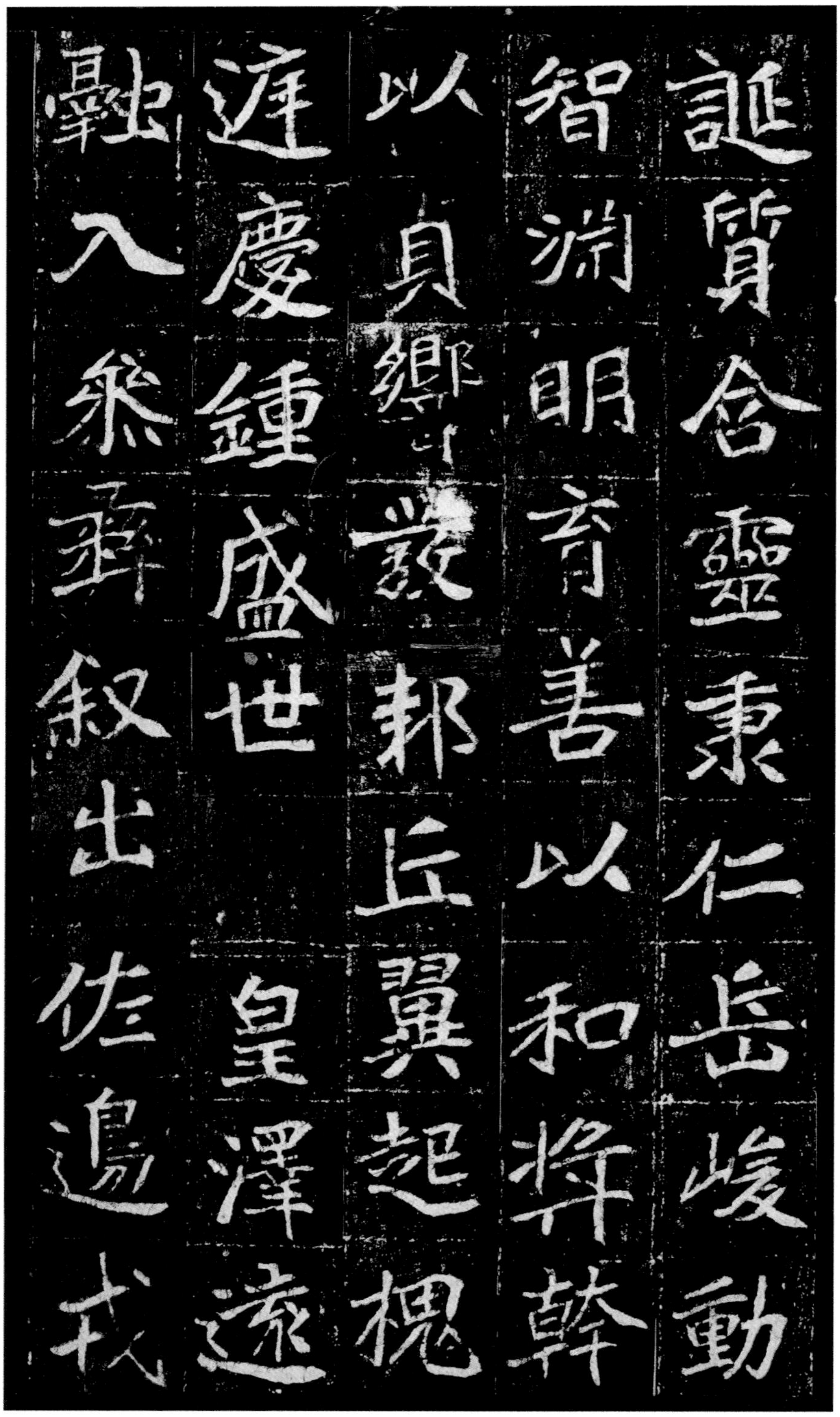

誕質含靈。秉仁岳峻，動／智淵明。育善以和，獎幹／以貞。響發邦丘，翼起槐／庭。慶鍾盛世，皇澤遠／融。入參彝叙，出佐邊戎。／

謀成轅幕，績著軍功。僞／城颷偃，蠢境懷風。王／恩流賞，作捍東荒。惠沾／海服，愛洽遼鄉。天情／方渥，簡爵唯良。如何倉／

颷：同『飆』，狂風。

倉：通『蒼』。倉昊：蒼天。

狠：同『藐』，幼小。藐孤：幼弱的孤兒。

惌：鬱積。《集韻》：『音鬱。心所鬱積也。本作愠。』

䬃：同『颯』。颯：衰颯，猶言臨風悲立。

昊國寶淪光白楊晦以
籠雲松區杳而煙邃狠
孤叫其崩惌親賓䬃而
垂淚仰層穹而摧號痛
尊靈之長秘誌遺德兮

昊，國寶淪光。白楊晦以／籠雲，松區杳而煙邃。狠／孤叫其崩惌，親賓䬃而／垂淚。仰層穹而摧號，痛／尊靈之長秘。志遺德兮／

墜：同『隧』。

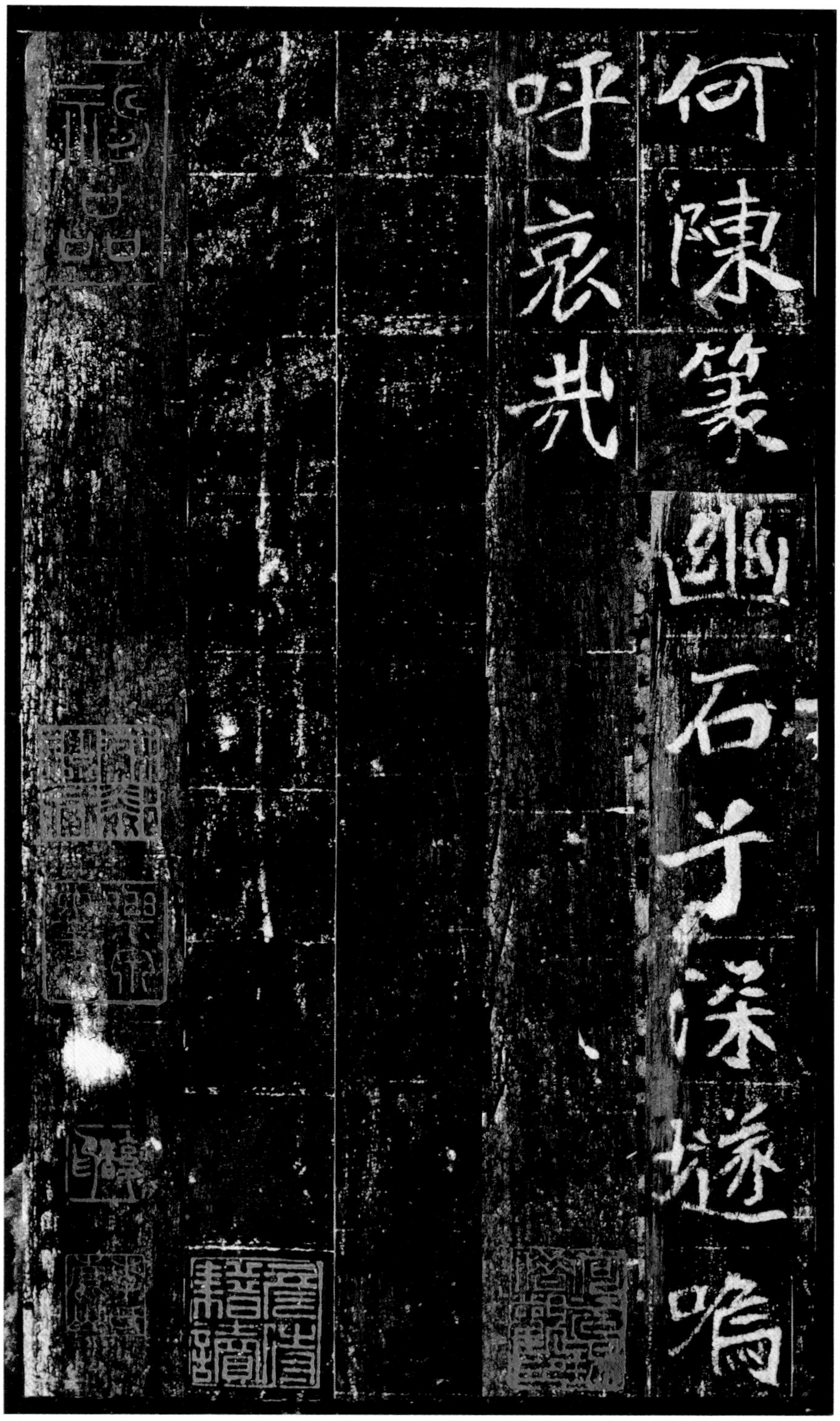

何陳，篆幽石兮深墜。嗚／呼哀哉！／

拓跋氏立國適當晉初其時南北各重書法北史崔宏傳宏祖悅與
范陽盧諶齊名諶法鍾繇悅法衛瓘皆盡其妙世不替業魏書
崔挺傳以工書受勅於長安書文明太后父燕宣王碑賜爵泰昌子
敬邕即挺之從祖弟也是碑不載書者姓氏疑即崔氏自書其書
恣態橫出時有拙趣已為褚河南開山正如魏鄭公骨鯁翻覺嫵
媚也且自 本朝康熙間始出土未經摹搨故得一字不損神質完然洵
屬美寶敬邕傳附崔挺傳後陳香泉先生跋語謂因此誌千數百
年始知其人殆失考矣但傳載敬邕熙平二年拜征虜將軍太中
大夫神龜二年卒謚曰恭而誌載延昌四年徵為征虜將軍太中大
夫熙平二年十二月二十一日卒於位謚曰貞延昌乃世宗年號世宗即
以是年正月崩肅宗即位至次年改元熙平三年二月以神龜表瑞大
赦改元是則敬邕之為征虜將軍太中大夫在肅宗未改元之時非熙
平二年其卒亦在神龜中謚文互異此皆傳之誤也乾隆二十年

正月十九日青疇高子出示此碑帖閲三宿遂書以歸之

是跋見鄉先輩金名文淳 字質甫埰進 齋文集從晉齋藉臨是

碑因録於後乙卯九月十有九日秋生

魏崔敬邕墓誌銘康熙間始出安平土中拓本絶少余僅見曲阜

孔氏重摹本今於晉齋〻頭得見原刻假歸欲得之惜不能豪奪

也 嘉慶己巳正月廿有六日携李戴光曾記於武林客寓

是碑北魏人所書博大昌明淳古遒勁可稱孟德之宗子僧虔之伯仲也宋集古金石二錄皆所未載以其後出故耳天地閟此靈物俟魏晉碑版磨滅殆盡而始出焉不可謂非無意於後人好古者自能知之豈惑氊裘之外論乎

辛卯七夕山陰潘寧謹識

此志字體在刁遵李超之間道麗絶倫北朝書派世重崔盧此當是真跡也

光緒乙未秋九陶濬宣記

司馬昞墓志

羅振玉跋

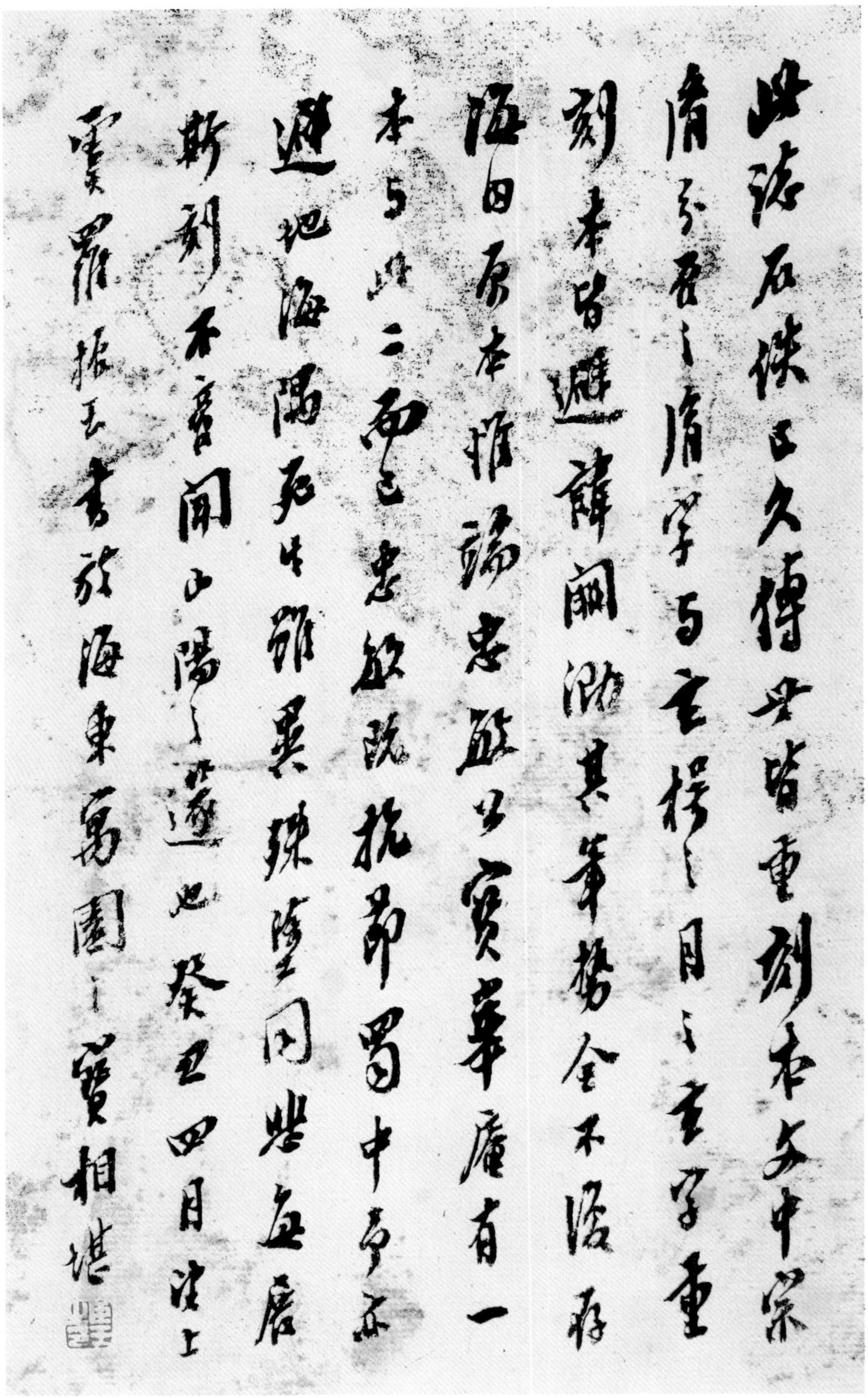
此碑石佚已久傳世皆重刻本文中宗
諱[illegible]字與玄[illegible]字重
刻本皆避諱闕筆其筆勢全不[illegible]存
陰因原本推論忠節出[illegible]唐有一
本與此二碑忠節[illegible]抗節蜀中亦
避地海陽死生雖異殊途同歸無[illegible]
斯刻不曾聞山陽之遂也癸丑四月淮上
雪堂羅振玉書於海東寓園之寶相[illegible]

【志蓋】墓志銘／

司馬昞，傳見《魏書》卷三十七《司馬叔播傳》：『（司馬元興）子景和，給事中，稍遷揚州驃騎府長史、清河內史。正光元年卒。贈左將軍、平州刺史。』此志及《司馬景和妻孟氏墓志》可補充史藉之記載。

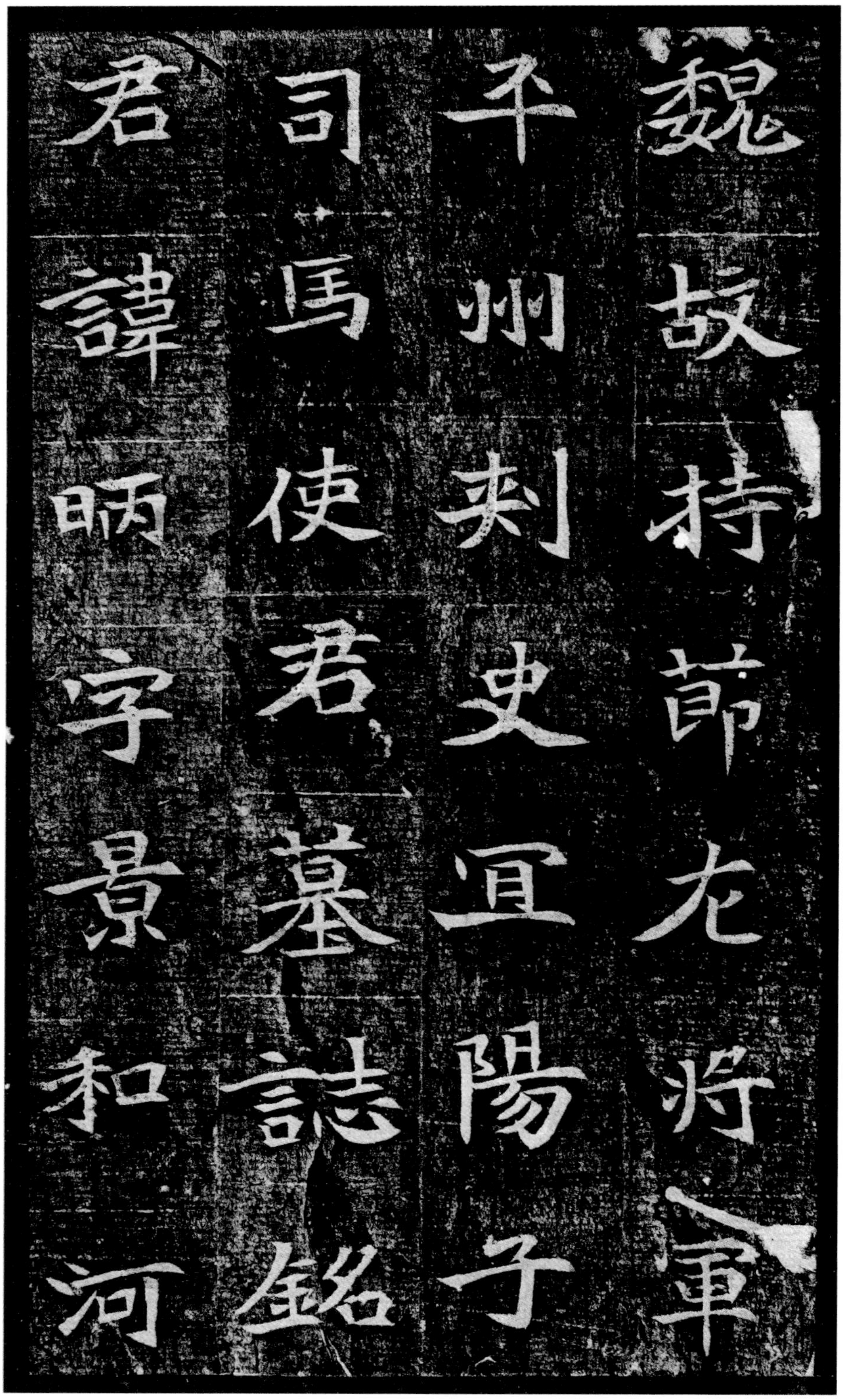

【銘文】魏故持節、左將軍、／平州刺史、宜陽子、／司馬使君墓志銘。／君諱昞，字景和，河／

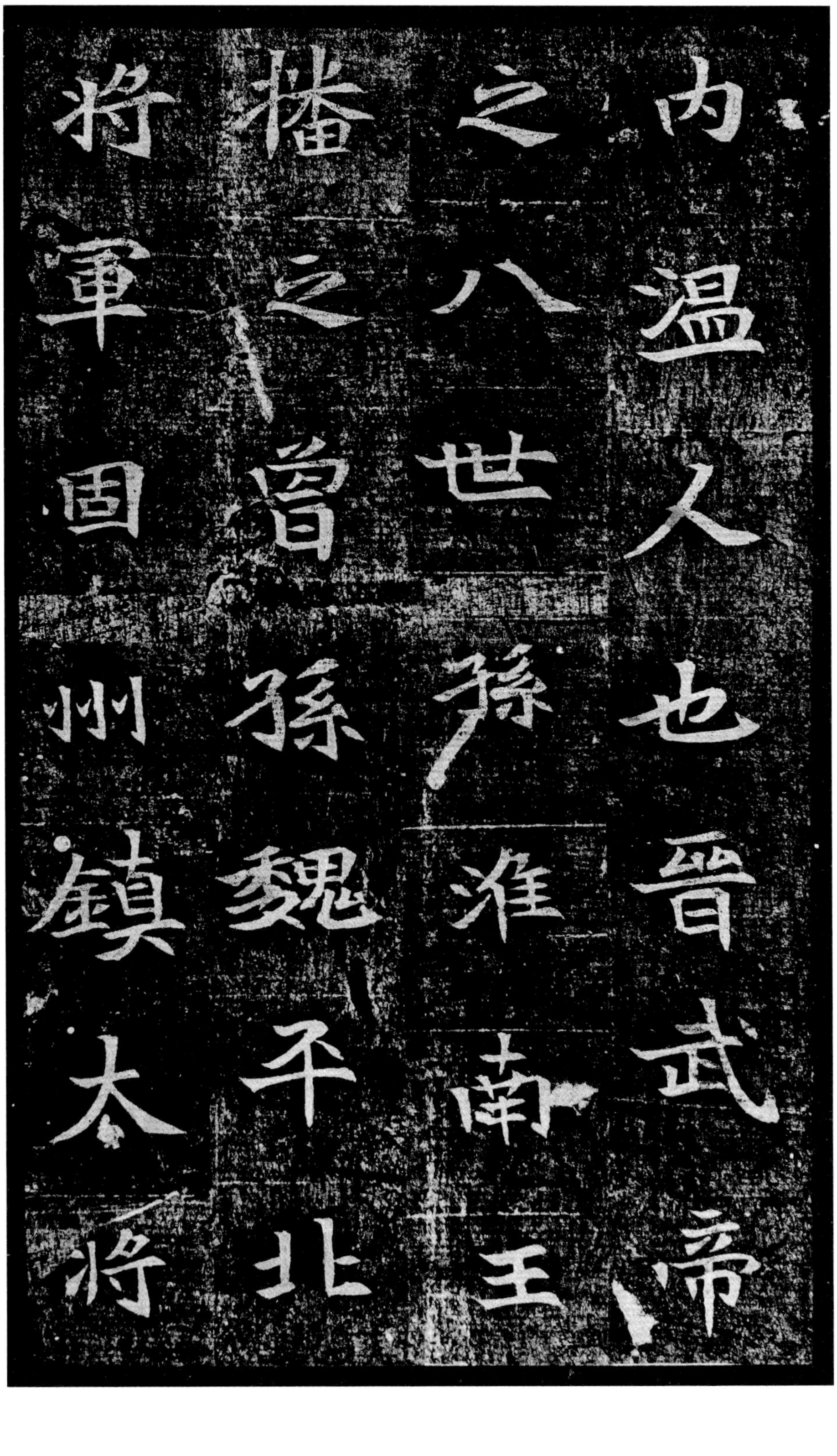

内温人也。晉武帝／之八世孫，淮南王／播之曾孫，魏平北／將軍、固州鎮大將、／

晉武帝：即司馬炎。司馬炎與司馬景和的八世祖司馬植爲同輩，係一祖所出。故此處稱司馬景和爲晉武帝之八世孫，但其實並非司馬炎的直系後人。

淮南王播：即《魏書》所載之司馬叔璠。

先室：此指先祖，家族之先人。

屯：聚合。離：分開。

宗胤：即宗嗣，後嗣。分否：或分或合。

弈：通『奕』。奕世：累世，世世代代。

魚陽郡宜陽子興
之子先室屯離宗
胤分否乃祖歸國
賞以令爵弈世承

魚陽郡宜陽子興／之子。先室屯離，宗／胤分否。乃祖歸國，／賞以令爵。弈世承／

華，休榮彌著。君有∕拔群之奇，挺世之∕用。神風魁崖，機悟∕高絶。少被朝命，爲∕

魁：高大壯偉，傑出不凡。崖：崖然，傲岸矜持的樣子。

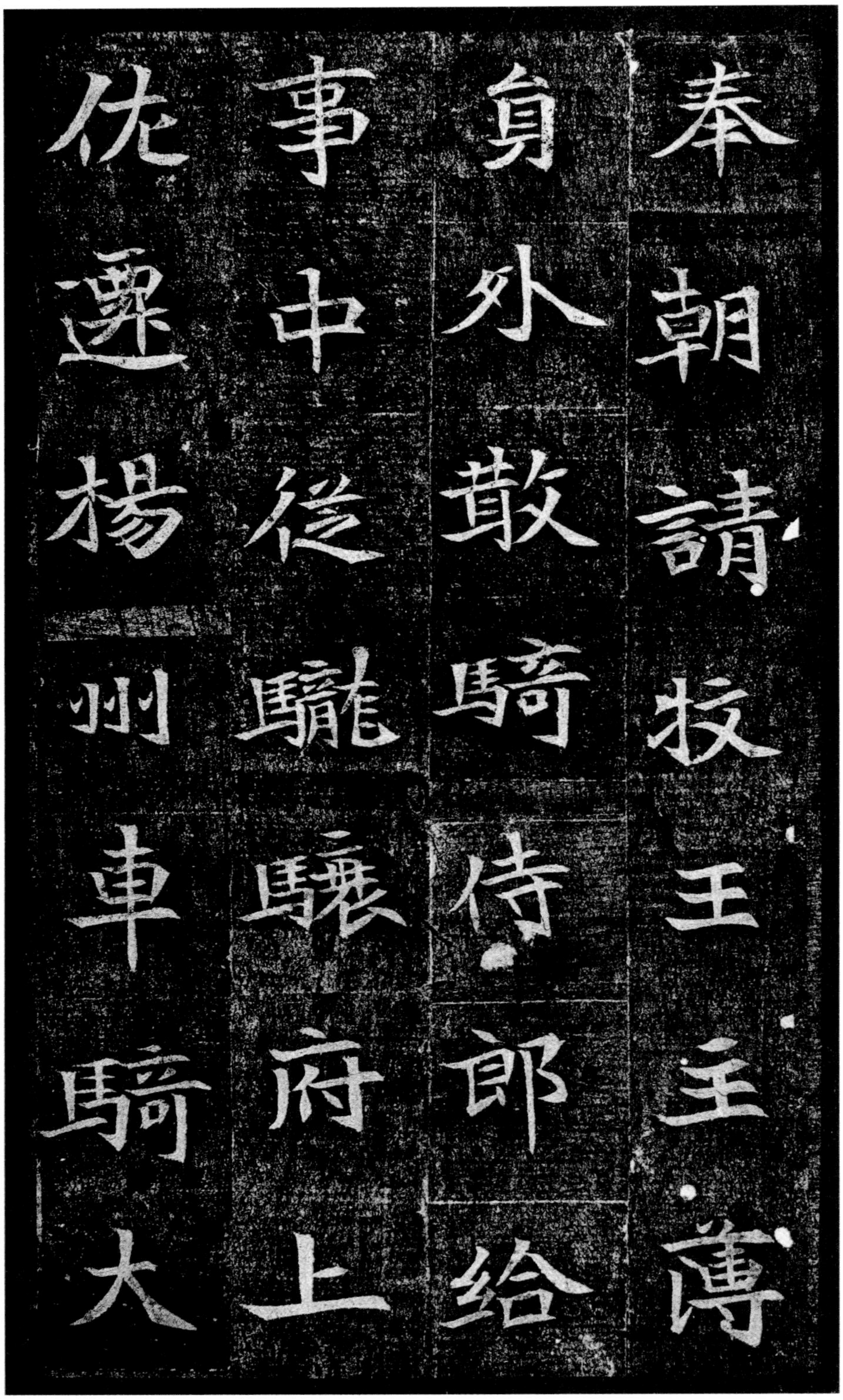
奉朝請牧王主簿
員外散騎侍郎給
事中從驪驤府上
佐遷楊州車騎大

奉朝請、牧王主簿、〳員外散騎侍郎、給〳事中，從龍驤府上〳佐，遷揚州車騎大〳

將軍府長史，帶梁／郡太守。在邊有暐／略之稱，轉授清河／內史。此郡名重，特／

將軍府長史带梁
郡太守在邊有暐
略之稱轉授清河
内史此郡名重特

邊：邊境。南北朝之際，揚州屬北魏的邊境。

暐略：宏偉的謀略。

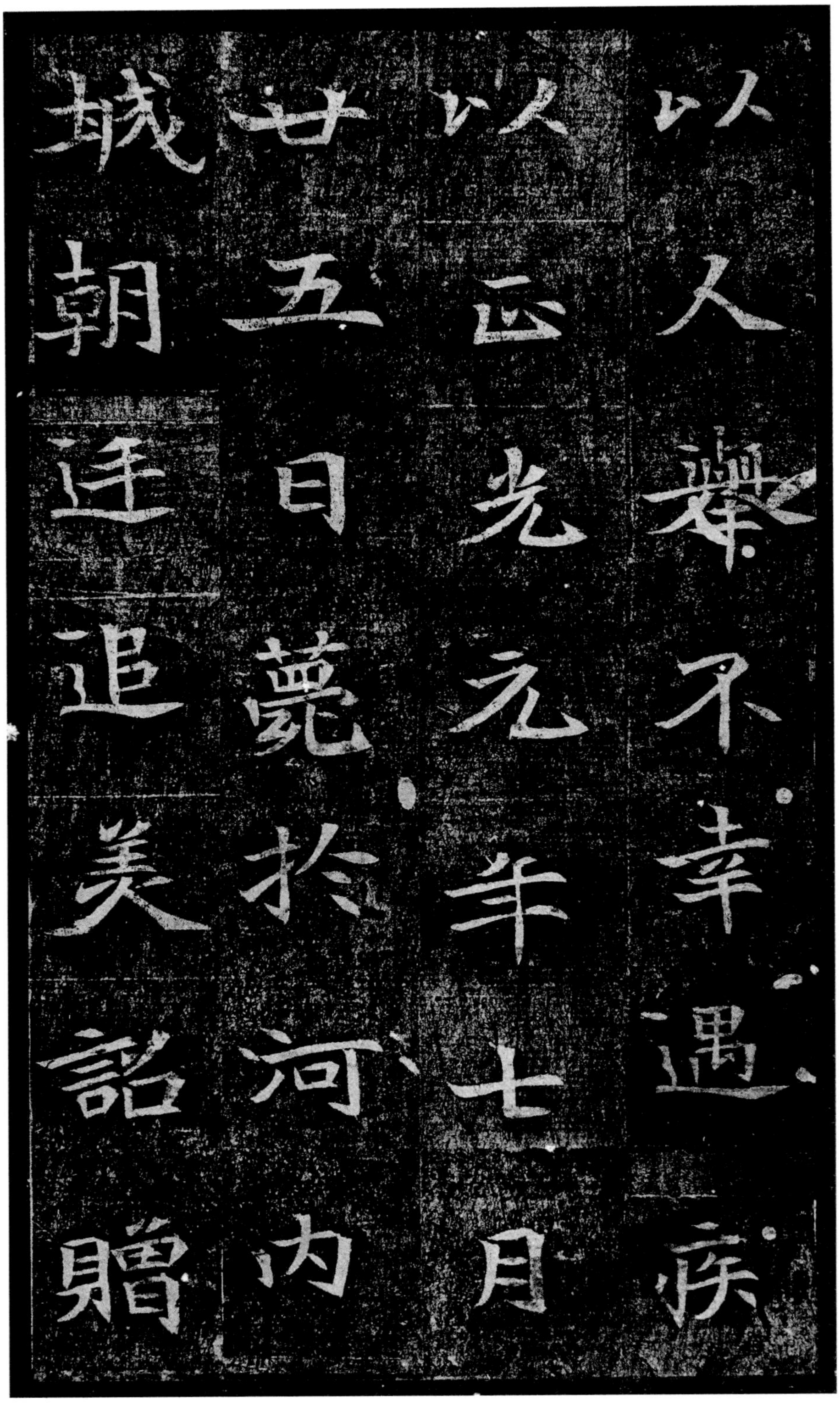

以人舉。不幸遇疾，╱以正光元年七月╱廿五日薨於河内╱城。朝廷追美，詔贈╱

熟：通『孰』。

庚子之年：即正光元年（五二〇）。

玄枵之月：夏曆十一月。

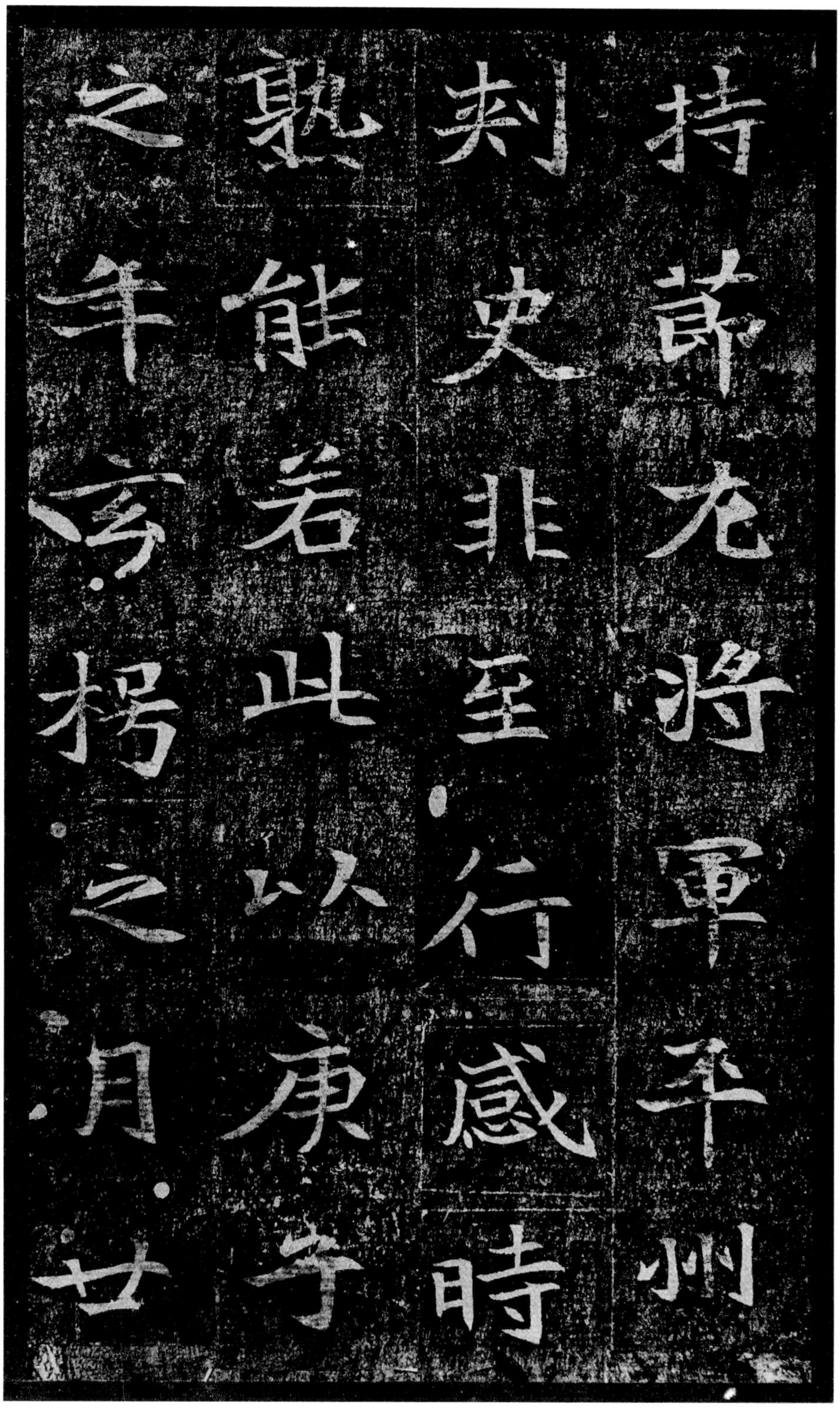

持節、左將軍、平州／刺史。非至行感時，／熟能若此。以庚子／之年玄枵之月廿／

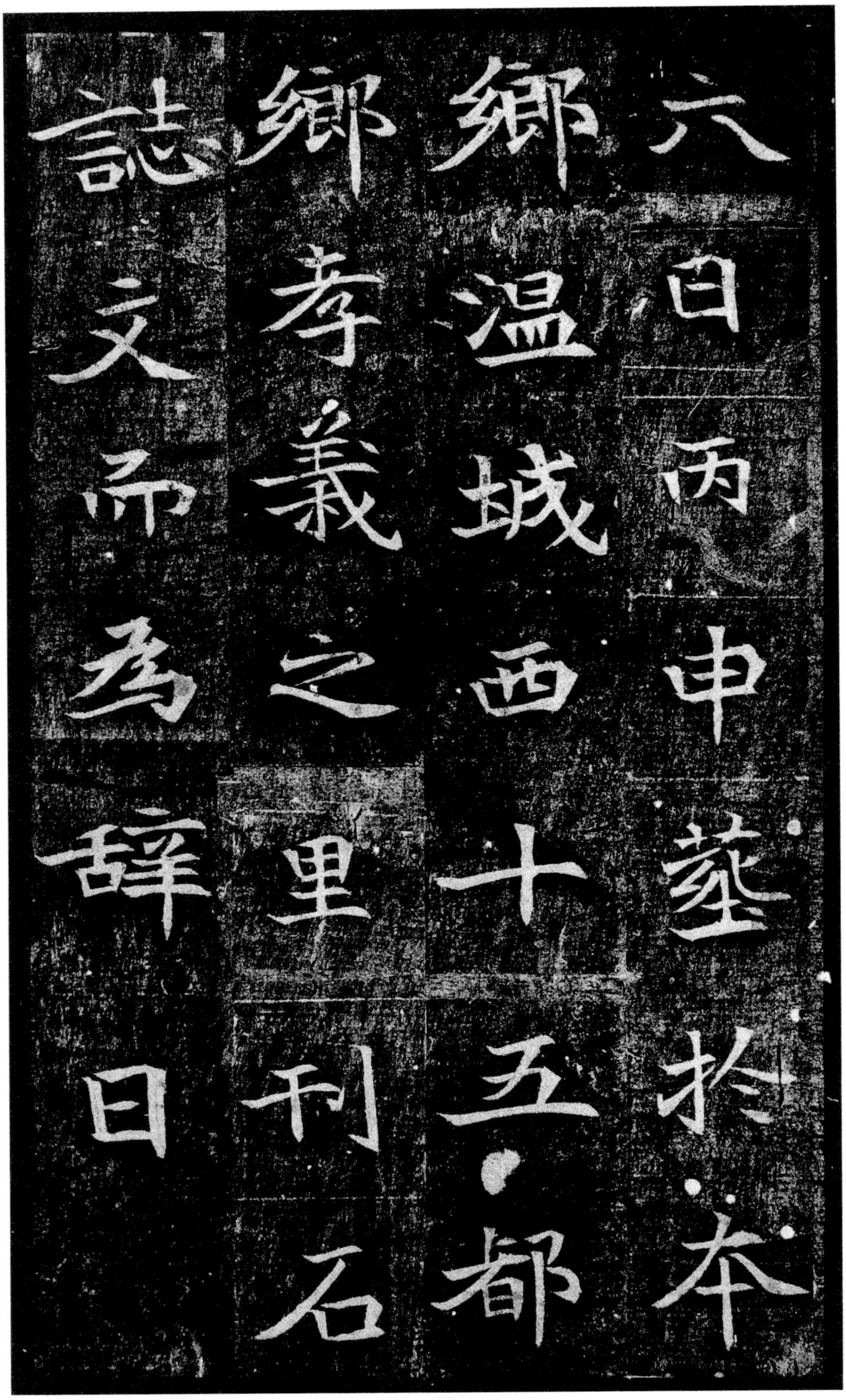

六日丙申，葬於本／鄉温城西十五都／鄉孝義之里。刊石／志文，而爲辭曰：／

君侯烈烈，玉操金／聲。高風愕愕，屢歷／徽榮。奄然辭往，没／有餘馨。鐫茲泉石，／

烈烈：此處形容功業、德行顯赫。

玉操：如玉石般潔白的節操。金聲：如金石般美好的聲譽。

愕愕：直言貌。

奄然：忽然。

没：通『歿』。餘馨：比喻身後的美譽。

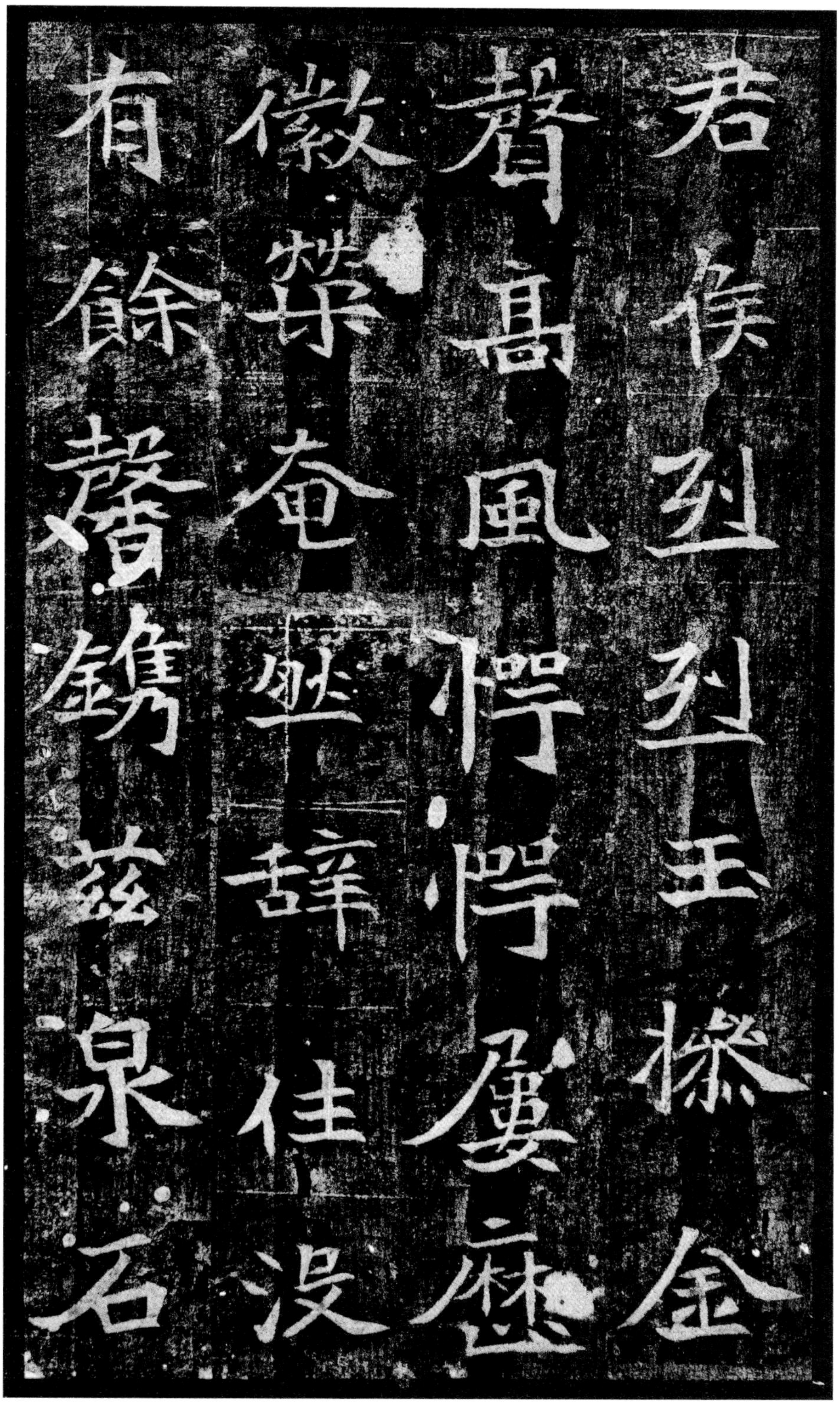

用銘休貞。

張黑女墓志

何紹基題簽

女，或當讀作『汝』。『女』與『汝』通假，常見。黃本驥《古志石華》：『張玄字黑女，玄黑色，「女」即「爾汝」之「汝」。』

皇帝：此指黃帝。唐陸德明《經典釋文》：『皇帝，本又作黃帝。』這裏説張玄乃出自黃帝之苗裔，是因爲張姓據説是黃帝所賜。《廣韻》：『張姓本軒轅第五子揮，始造弦，實張網羅，世掌其職，後因氏焉。』

中葉：這裏指商周時期，即下文所説『周殷』。因爲對北魏人而言，以黃帝爲始祖，則商周時期即可視之爲中葉。

張季跋

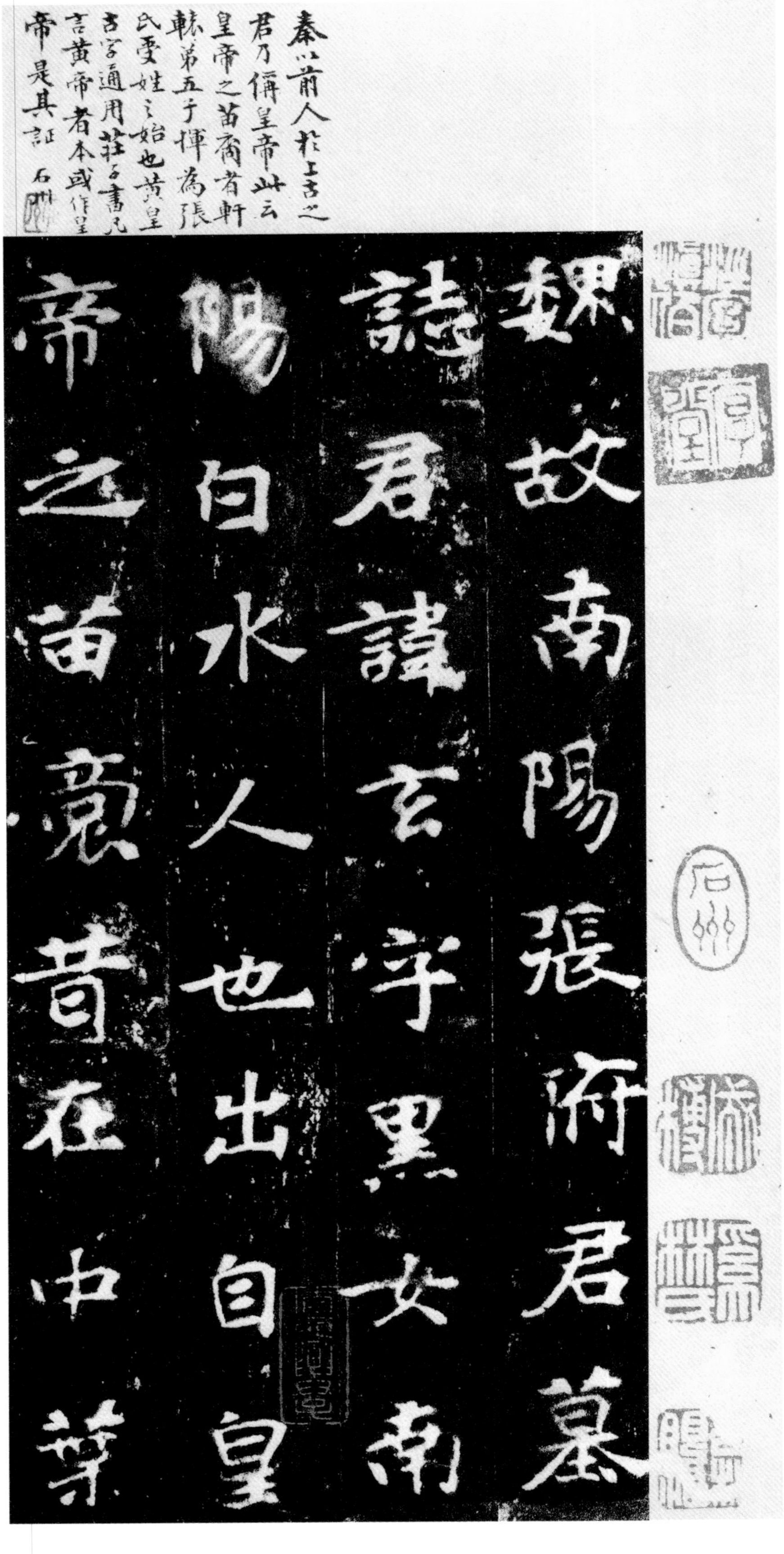

魏故南陽張府君墓／志。君諱玄，字黑女，南／陽白水人也。出自皇／帝之苗裔。昔在中葉，／

作牧周殷。爰及漢魏，／司徒、司空。不因舉燭，／便自高明；無假置水，／故以清潔。遠祖和，吏／

作牧：舊指出任州的長官。泛指統領地方之官。

司徒、司空：均爲官名。漢魏時期，張姓人官至司徒、司空者甚多，如東漢有司徒張歆、司空張敏，晉有司空張華等。

故：通「固」。以：通「已」。

陳介祺跋

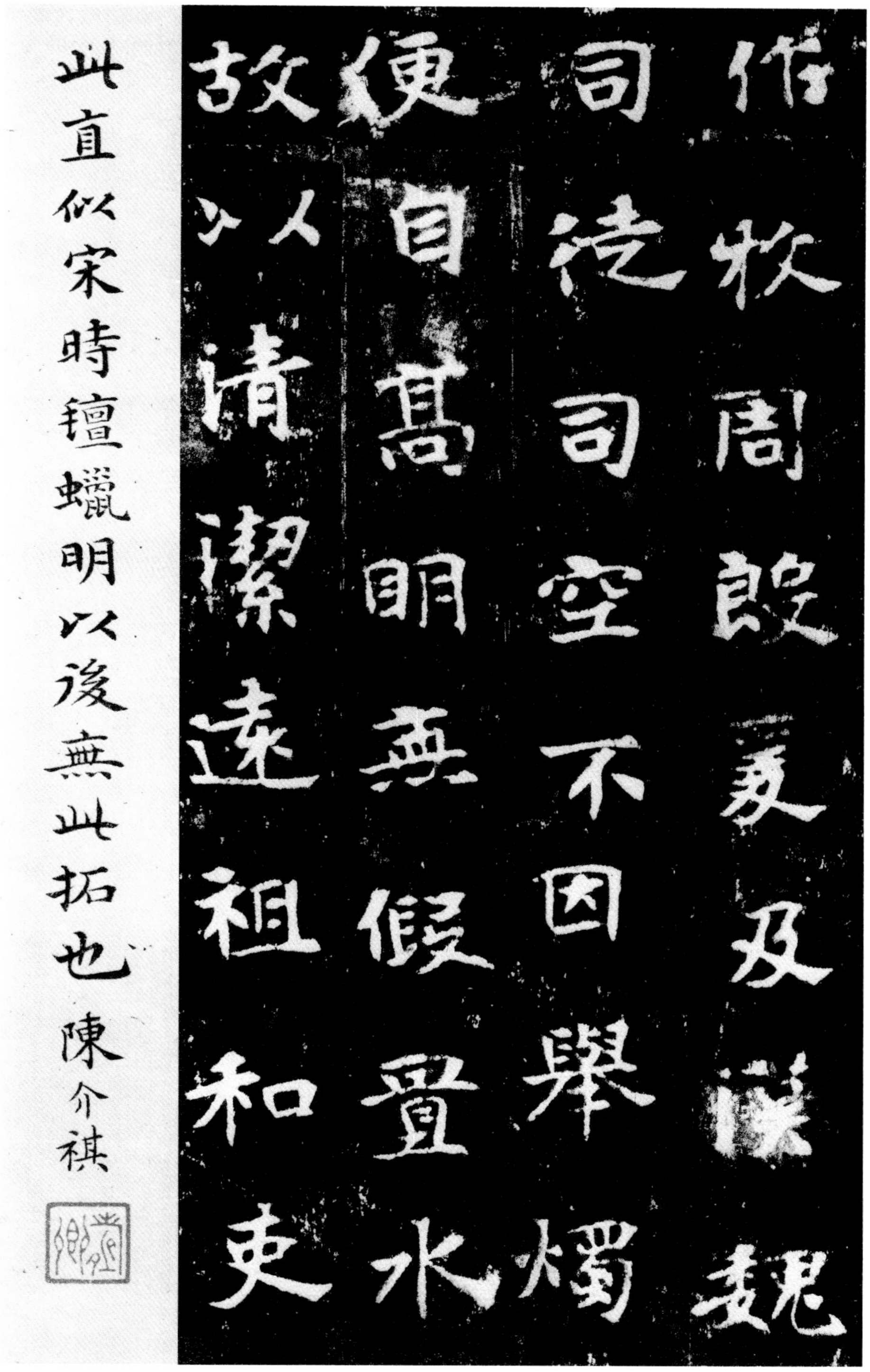

作牧周殷爰及漢魏
司徒司空不因舉燭
便自高明無假置水
故以清潔遠祖和吏
此直似宋時氊蠟明以後無此拓也
陳介祺

華蓋：泛指尊貴者所乘之車。

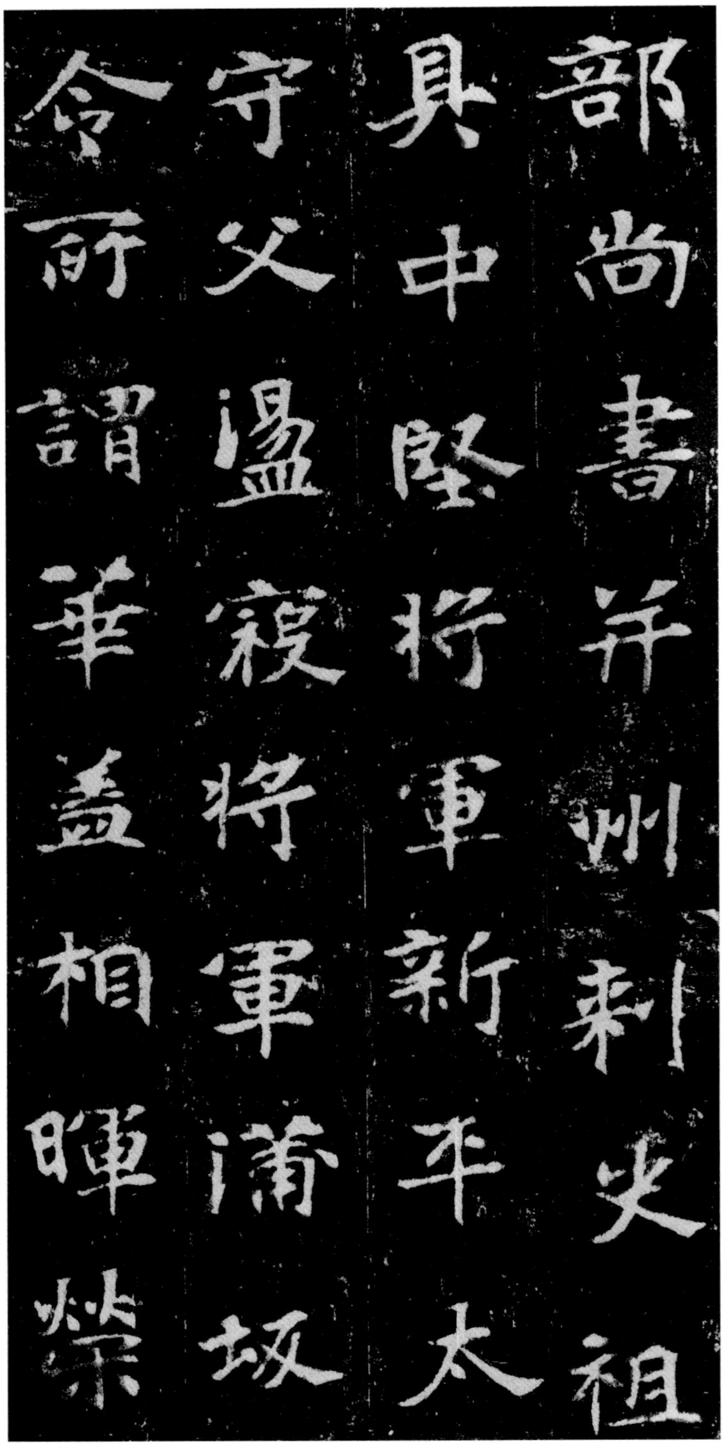

部尚書、并州刺史；祖∕具，中堅將軍、新平太∕守；父盪寇將軍、蒲阪∕令。所謂華蓋相暉，榮∕

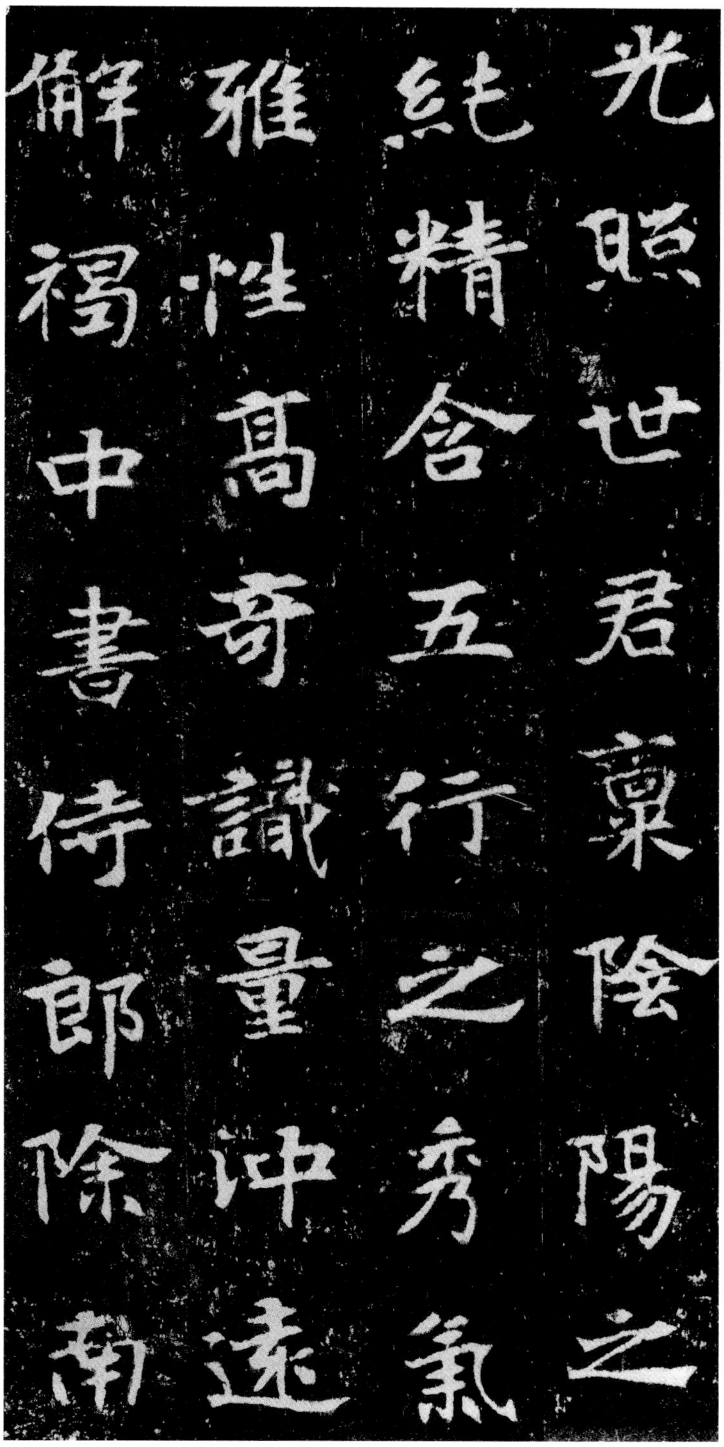
光照世君稟陰陽之
純精含五行之秀氣
雅性高奇識量沖遠
解褐中書侍郎除南

光照世。君稟陰陽之／純精，含五行之秀氣。／雅性高奇，識量沖遠。／解褐中書侍郎，除南／

解褐：脫去布衣，擔任官職。這裏指最初擔任的官職。

抓：通『爪』。爪牙：本指勇士、武臣。貶義的『爪牙』爲後起義。這裏是名詞意動用法，指成爲國家的棟樑。

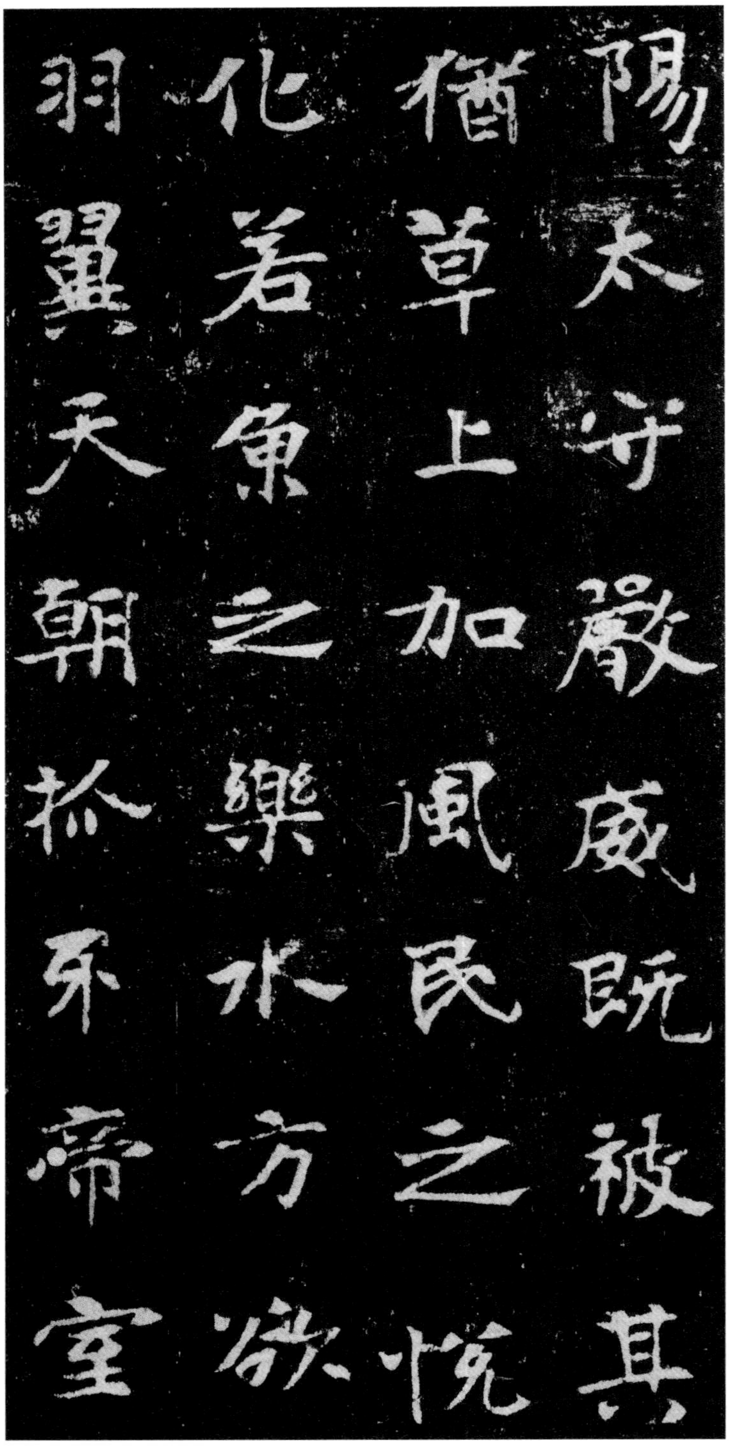

陽太守。嚴威既被，其／猶草上加風。民之悅／化，若魚之樂水。方欲／羽翼天朝，抓牙帝室。／

何圖幽靈無簡，殲此/名哲。春秋卅有二，太/和十七年薨於蒲阪/城建中鄉孝義里。妻/

何圖：何曾預料。幽靈：幽冥，泛指鬼神。簡：通『間』。無間：不分。

張季跋

薨：古代稱諸侯或有爵位的大官死去爲薨。

巨禄：當即巨鹿，指巨鹿郡。

瓌：同『瑰』。

張季跋

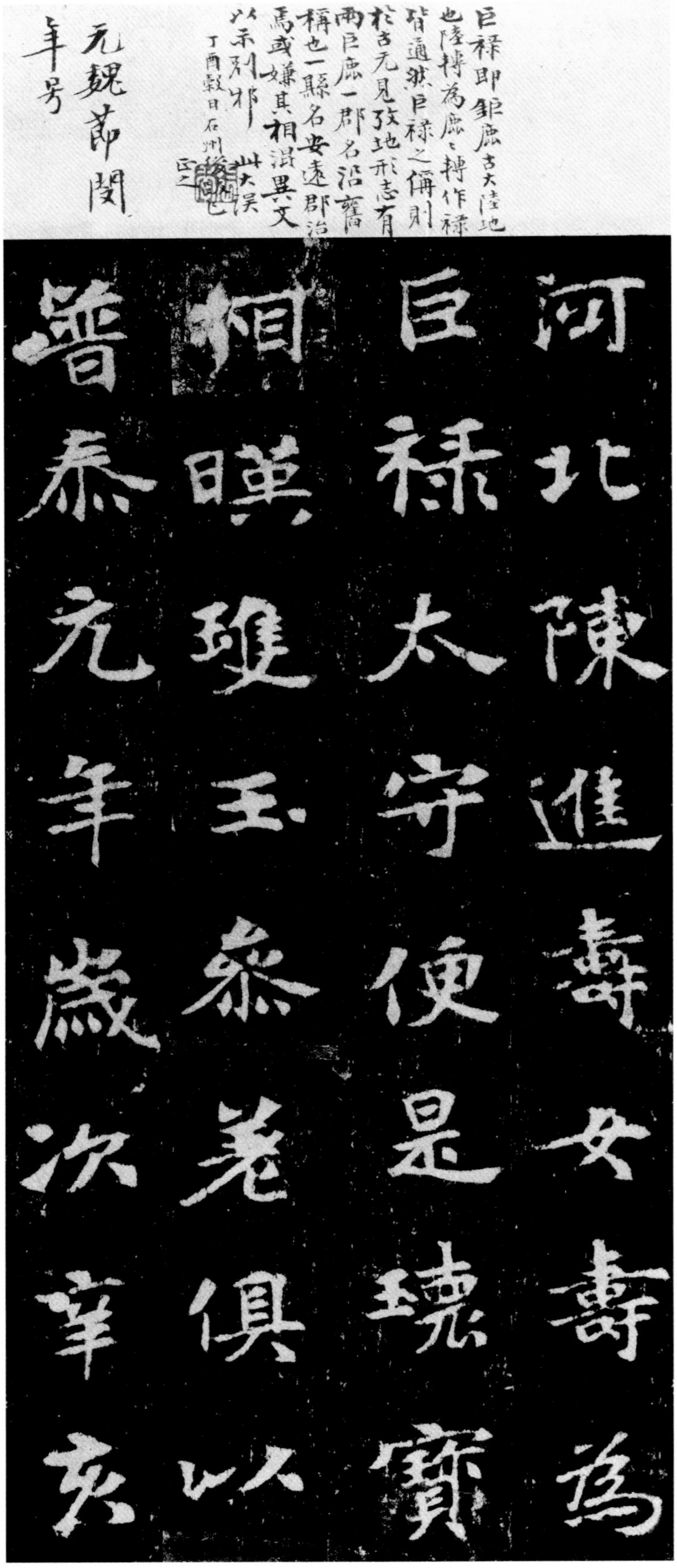
河北陳進壽女壽爲巨禄太守便是瓌寶相暎雙玉参差俱以普泰元年歲次辛亥

河北陳進壽女，壽爲／巨禄太守。便是瓌寶／相映，雙玉参差。俱以／普泰元年歲次辛亥／

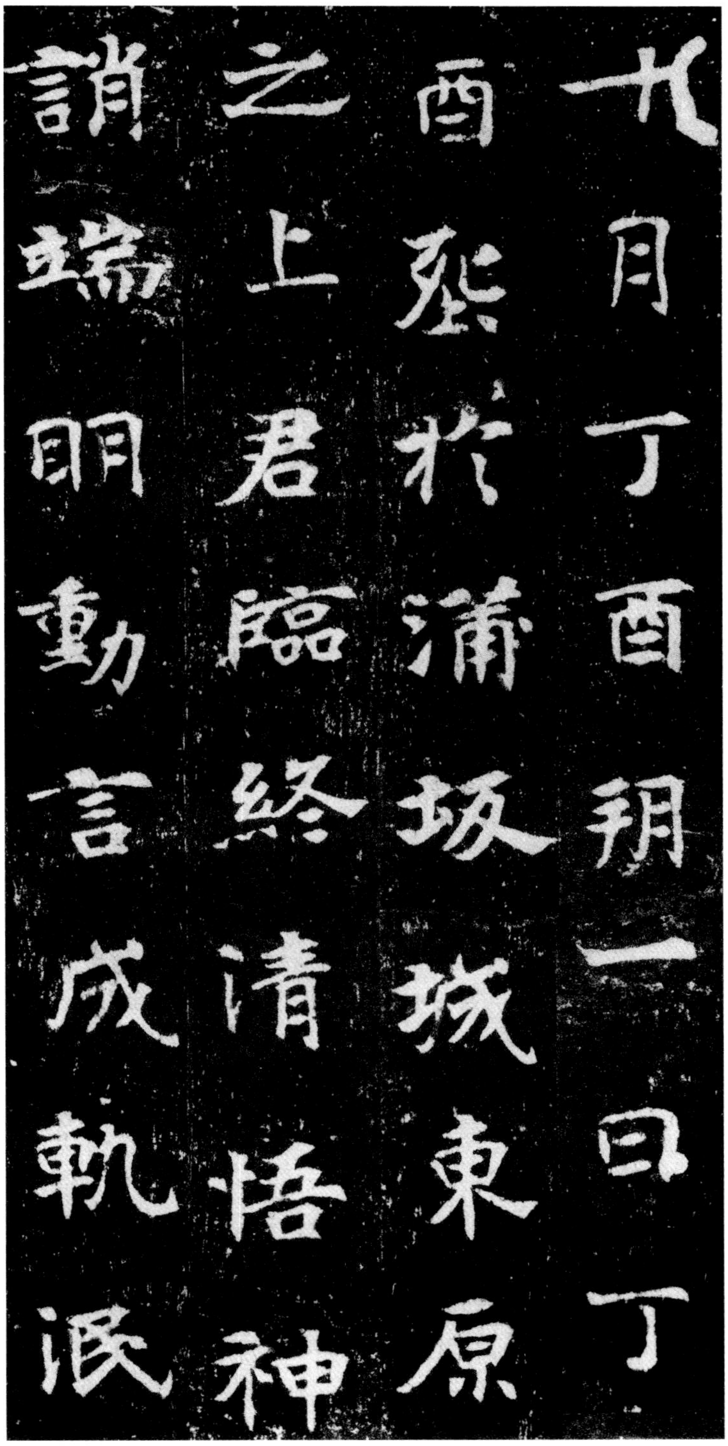

十月丁酉朔一日丁／酉，葬於蒲阪城東原／之上。君臨終清悟，神／諝端明，動言成軌，泯／

清悟：清醒，明慧。

動言成軌：指所説之話，無不可爲後世尊奉。

泯然：悄然，消失净盡貌。

兆人：萬民。

胄：帝王或貴族的子孫。蘭胄、芳幹：比喻貴族的優秀子弟。

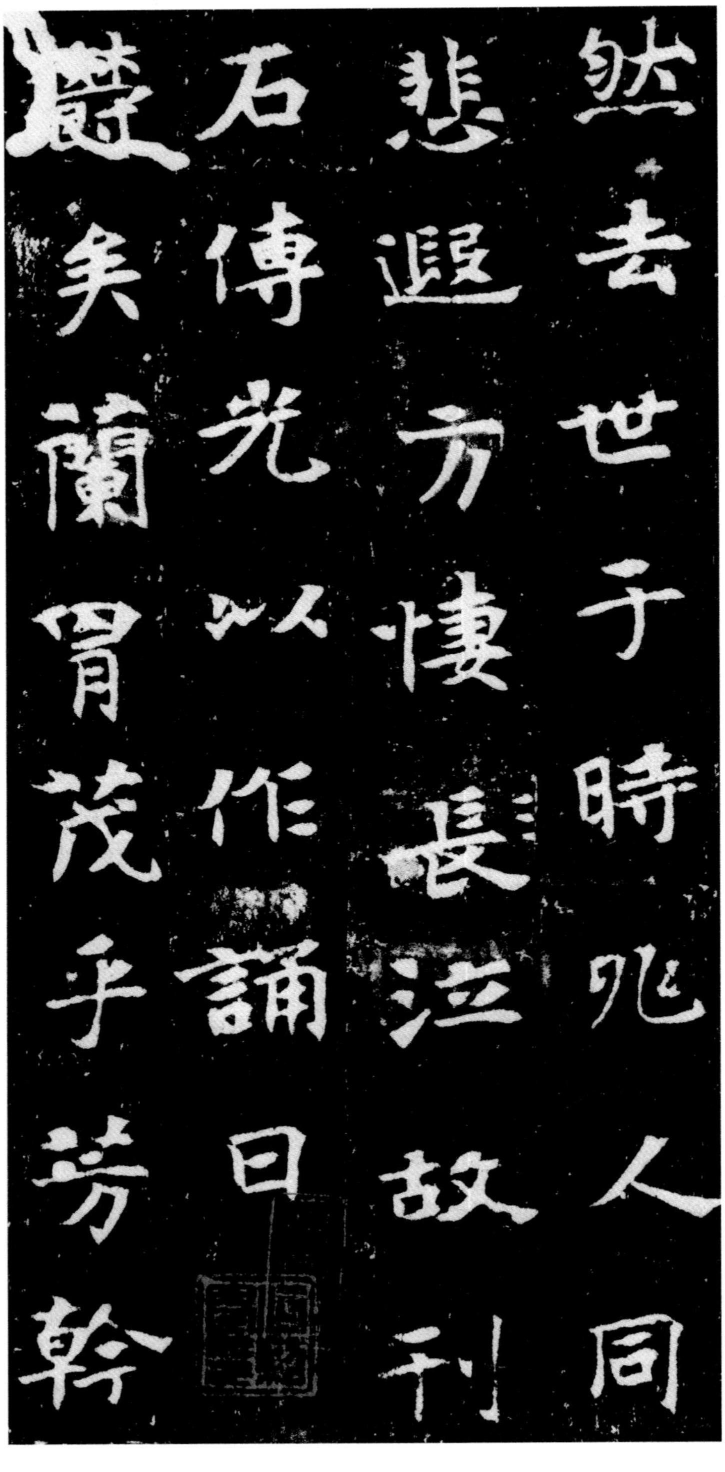

然去世。於時兆人同／悲，遐方凄（長）泣。故刊／石傳光，以作誦曰：／鬱矣蘭胄，茂乎芳幹。／

霄衢：雲衢，比喻高位。

休：美好。漢：銀河。也稱雲漢、銀漢、天漢。

葉映霄衢，根通海翰。／休氣貫岳，榮光接漢。／德與風翔，澤從雨散。／運謝星馳，時流迅速。／

何紹基跋

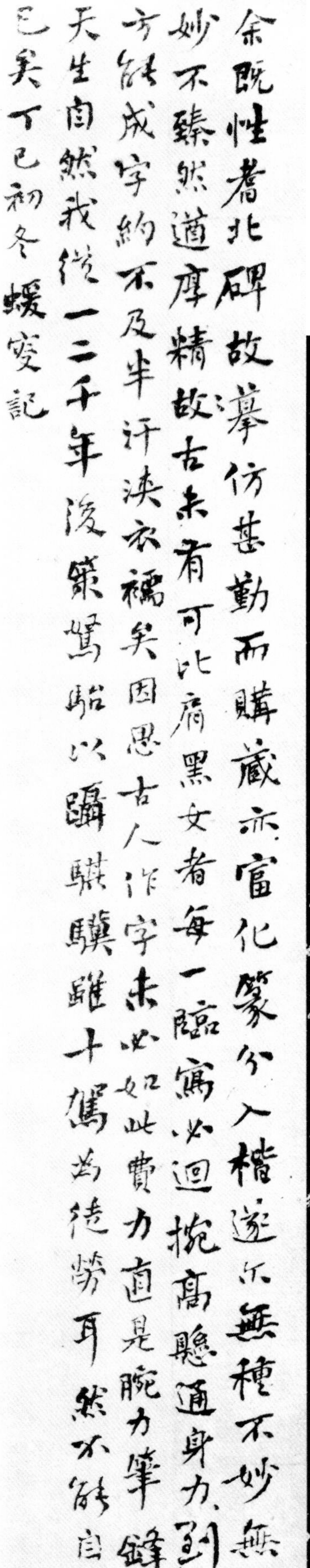

余既性耆北碑故摹仿甚勤而購藏亦富化篆分入楷遂尔無種不妙無
妙不臻然遒厚精故古未有可比肩黑女者每一臨寫必迴腕高懸通身力到
方能成字約不及半汗浹衣襦矣因思古人作字未必如此費力直是腕力筆鋒
天生自然我從一二千年後策駑駘以躡騏驥雖十駕為徒勞耳然不能自
已矣丁巳初冬蝯叟記

桐枝：梧桐枝。桐枝、良木：均指佳木，形容人才。

三河：泛指衆多河流。奄曜：失去光芒。

巛：同「坤」，指地。塸：同「區」。坤區：即大地。

燭：光明。

毛群：地上有毛的生物，指走獸。羽族：長羽毛的生物，指飛禽。

扃堂：封閉後的墓室。

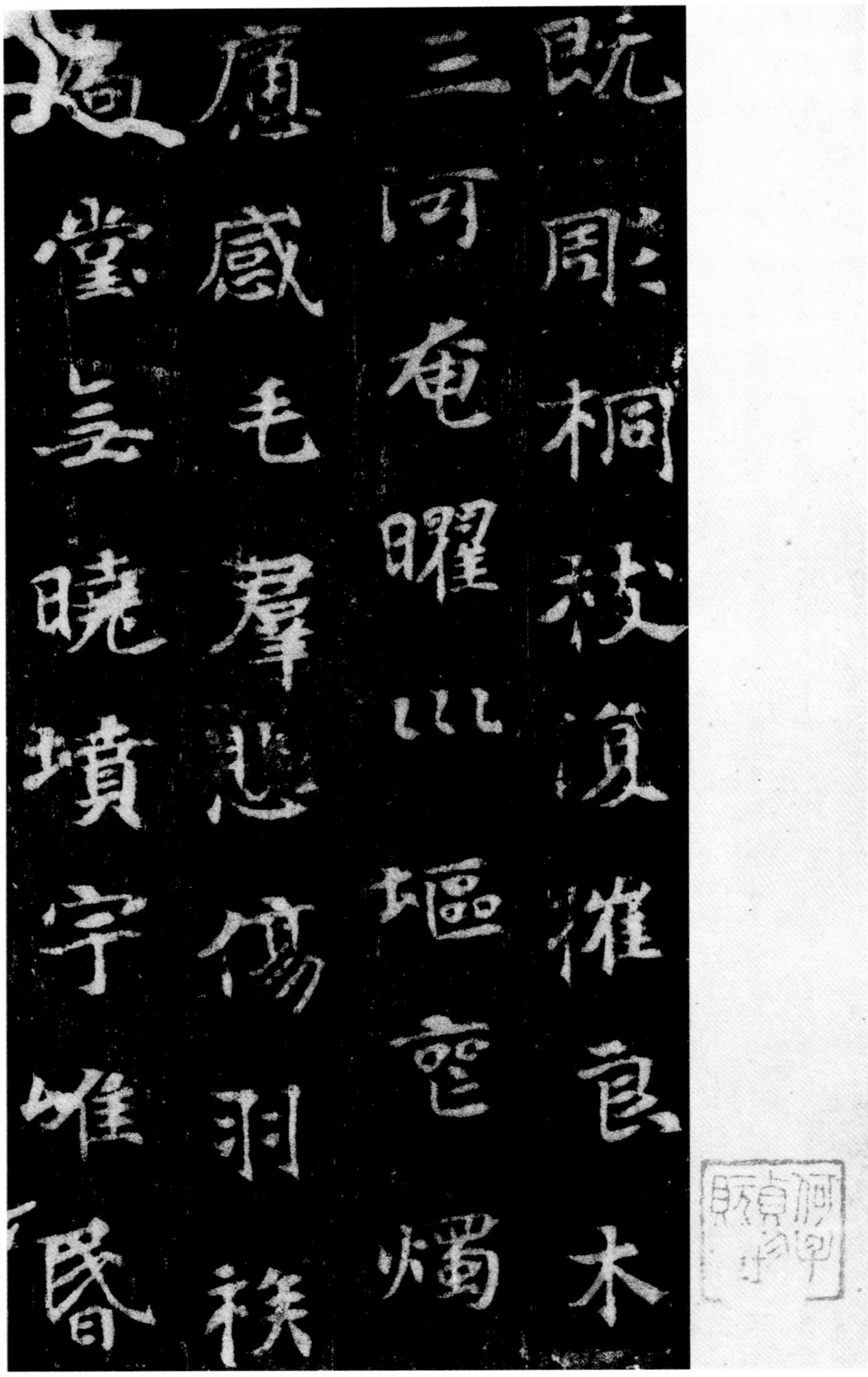

既彫桐枝，復摧良木。／三河奄曜，巛塸喪燭。／痛感毛群，悲傷羽族。／扃堂無曉，墳宇唯昏。／

輡：『韜』的訛字。韜：掩藏。
松户：指墓室。
泉門：指墓室。

何紹基跋

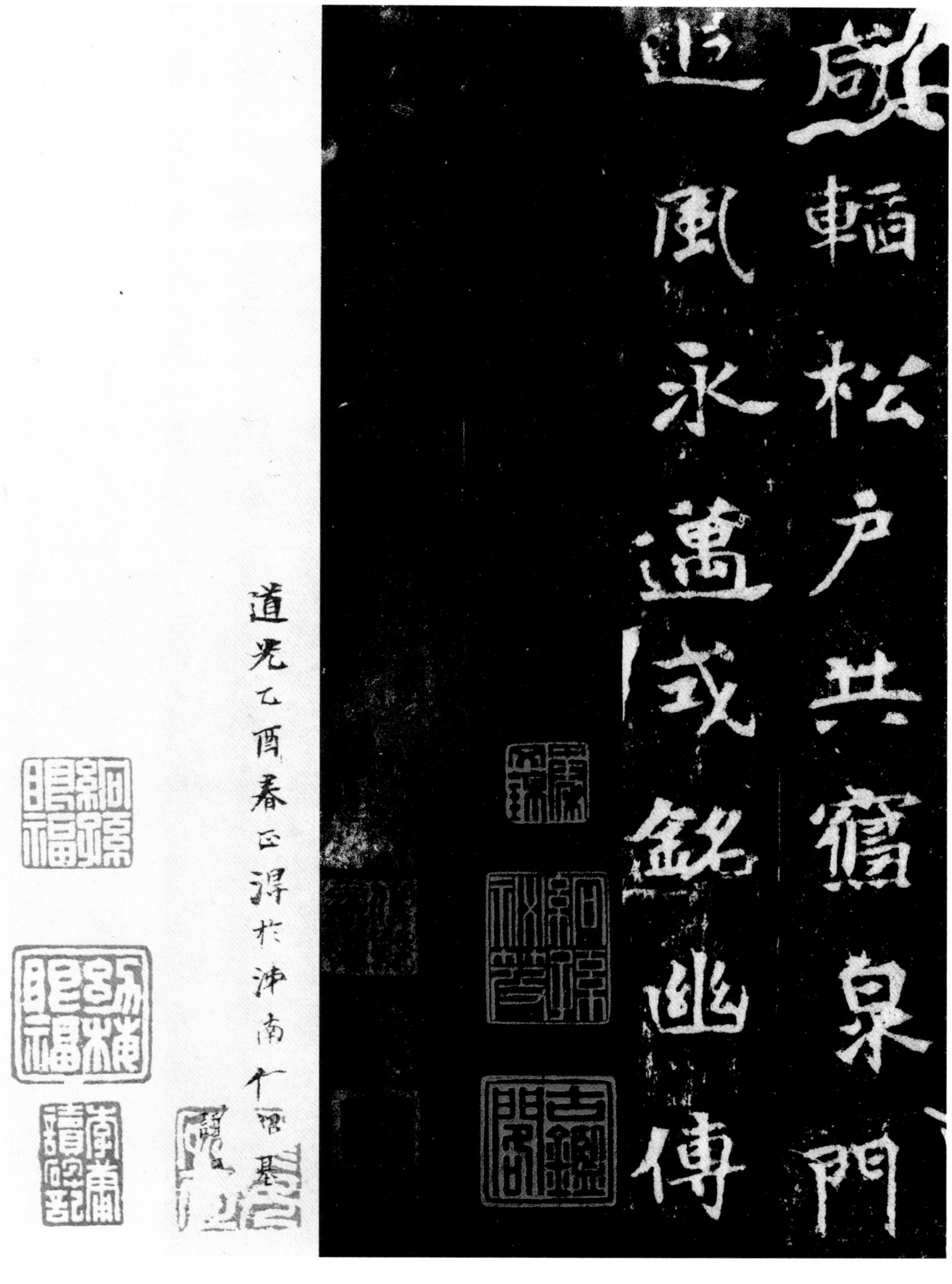

咸輡松户，共寢泉門。／追風永邁，式銘幽傳。／

陳香泉云王魯珍秀才來安邑抑其父執高夢説明府丁交寓居衙齋者二年餘余既為小吏魯珍且淪于衿潦草出遊兩人不得志於時抑塞之槩彷彿相同魯珍文學史漢詩學杜又善漢隸于是兩人者情誼益篤魯珍性傲令邑厲壇有惟松處之歲朝旱

魯珍先生名璵似一字六真盖都諸生工隸能畫曠達不羈詩學襟下老人穉崑先生之子

此碑不知搨自何時書家議論皆所不及其體在八分真書之間真書之最古無過此者矣然學此者必須曉其源委若以後代筆法運之則背千里之謬師故工漢隸者下筆自有水乳之合但就脫去八分體勢斯為善學耳

王璵似志

道光五年三月王懷曾觀

二公皆吾鄉先賢自二公題後此冊在吾鄉展轉收藏已二百載今乃為子貞所得神物有知當亦惓惓於故土耶六真先生所云師者當即是前成樽吳

起忽不見至其在松下也急遣尋果塊然猶坐問移北返舜陵古柏四十三章亂後盛寧特異遂觀學不輟筆墨精妙壬戌余持儀蜀道曾琌乃宦綿州自此往來師置鄉里不復見矣　右香泉跋魯孫畫冊中語摘錄于此以見其槩　戊午六月朔語銘道人書

林氏二印其人所藏也前在吾邑見一集書画冊有六真先生題者亦有此二印並題字他日當再考之　丙午七月廿六日己酉　古平壽陳介祺記於簠齋

楷宗晉晉以王帖如黃庭娥碑世知宗之而不知本之茂漪夫人未識夫人又本之誰披此幾為神移支頤盈盈凝睇眄眄水仙花香忽隔幔撲鼻神與古人遇矣中庭月潔殿角鐘清如世外逢異人夜坐

雲泉海

春濤先生名海號雲泉益都諸生明戶部尚書基之裔詩文磊落有奇氣有凭翠堂集

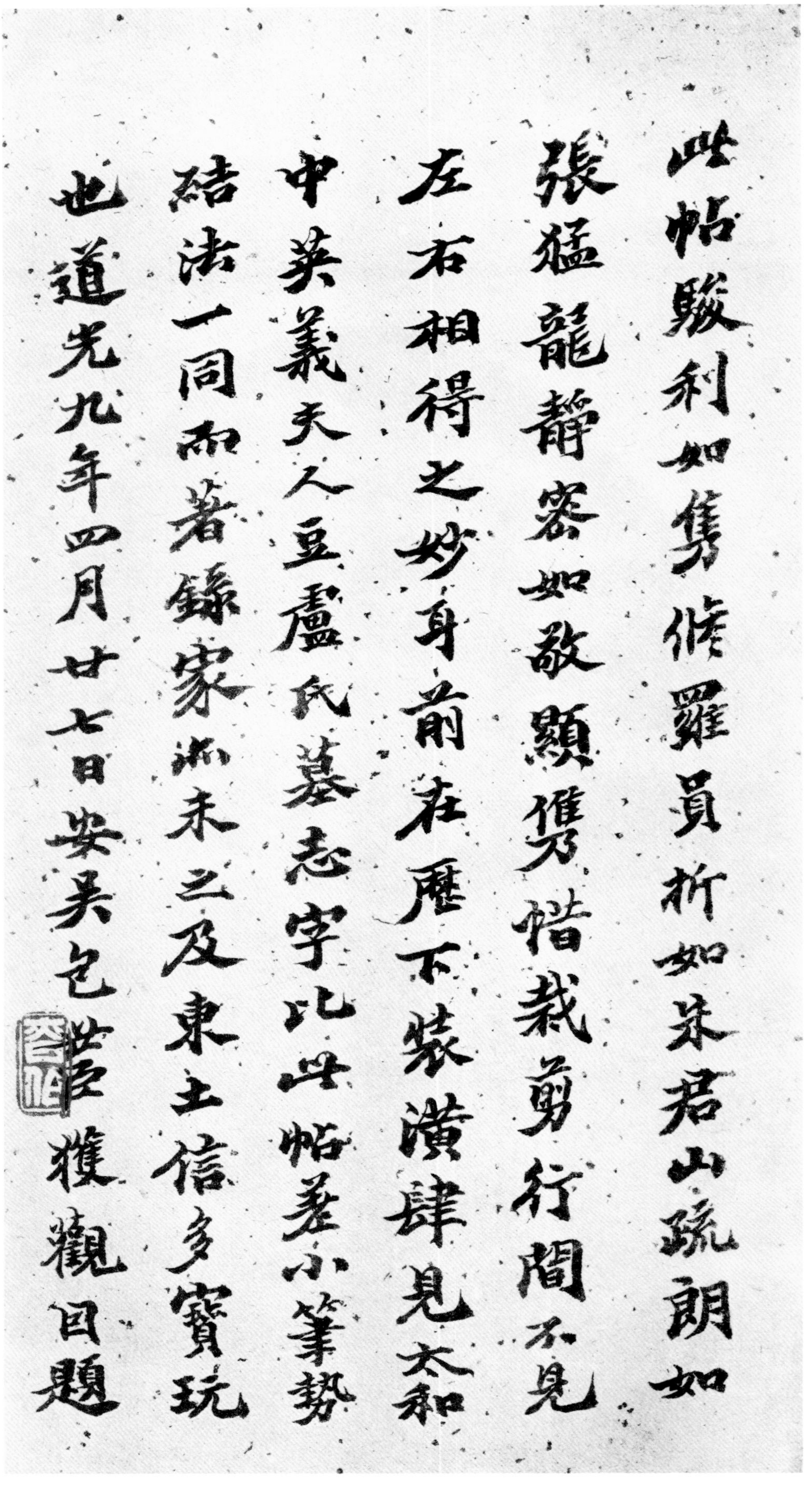

此帖駿利如雋脩羅員折如朱君山疏朗如張猛龍靜密如敬顯雋惜裁剪行間不見左右相得之妙尋前在歷下裝潢肆見太和中英義夫人豆盧氏墓志字比此帖差小筆勢結法一同而著錄家流未之及東土信多寶玩也道光九年四月廿七日安吴包世臣獲觀因題

碑版與簡札書文皆有兩體南碑傳者少
身見稟帖皆東札故異勢明者參之知其
不謬若目北碑為別派正是從門入者
子貞昆玉以為何如　世臣又說

北碑有定法而出之自在故多變態唐人書法不定而
出之矜持故形板刻雖諸薛未能免也　世臣又書

英義夫人墓志及仙女祠視版文慎翁果曾
見耶近年北碑出世者多矣未聞此兩種也

閒馮集梧明府署旅事曾訪濟鄭文靈公工碑

碑稱文公靈如惠文貞子專稱文子亦金石之別例

而來濟見拓本地不愛寶書學其將興乎雲峯山仙如祠三祝敬文詞甚穢而書至秀潔其石閒藏

黃縣盧氏曾於廛上見拓存係數
百年物殆祠未毀時拓也附記於此
子貞著學書而嗜古哉有緣幸
遇之
基

包慎翁之寫北碑蓋先於我二十年功力既深著名
甚重於江南從學者相矜以包派余以橫平豎直四字
繩之知其於北碑未爲得髓也記問浩博口如懸河酒
後高睨大譚令人神旺今不可復得矣

黑女南陽白水人白水鄉漢光武故里在新野縣漢張遷表敘先世甚詳僅及周張仲漢張良張釋之張騫四人此志乃云出自皇帝之後未詳其為何皇何帝昔在中葉作牧周殷之無以張為氏者周自張仲外見於左傳國策者無位至牧伯之人爰及漢魏司徒司空漢魏張氏見於史者未嘗以司徒司空著名惟晉有司空張華志此句未確舉燭喻其高明似指華之博物而言然所徵引未甚確也遠祖和祖具史皆無傳父盪寇將軍未著其名妻父陳進壽官巨祿太守魏無巨祿郡當即鉅鹿之別稱曰壽為巨祿太守下著便是二字通俗之文始見於此又進壽雙名複述稱壽在今人以為常於古亦創見十月丁酉朔一日丁酉書朔書日甲子不嫌其重唐張希古誌云四月甲申朔一日甲申亦如此蓋古法也漢碑中屢見黑女南陽人為本郡太守而其葬無所擇也乃在蒲坂豈以父為蒲坂令遂家其地耶幽靈無簡神諱諱讀作肎端肅彝

矣。蘭胥簡諝胥三字未詳其義。喬作裔，殷作段，稾作稾，魚作魚，系作系，抓采雙作𨾴，翔作翔，葬作葬，幹作幹，映作暎，胥作胥，翰作翰，休作休，坤作巛，匳作𡏖，喪作喪，痛作痛，憩作憩，族作族，堂作堂，韜作韜，寢作寑，泉作泉，式作式。魏書世祖紀始光二年初造新字，頒下遠近，承為楷式，故當時碑誌字多別體。是誌不知出自何時，余歸何府，為從來金石家所未錄。子貞何君於滇南得之，余輯墓誌石華，自晉至唐得百餘種，增入此紙，而北魏有八誌矣，因為是跋以歸之。時道光八年重九前三日虎癡黃本驥書

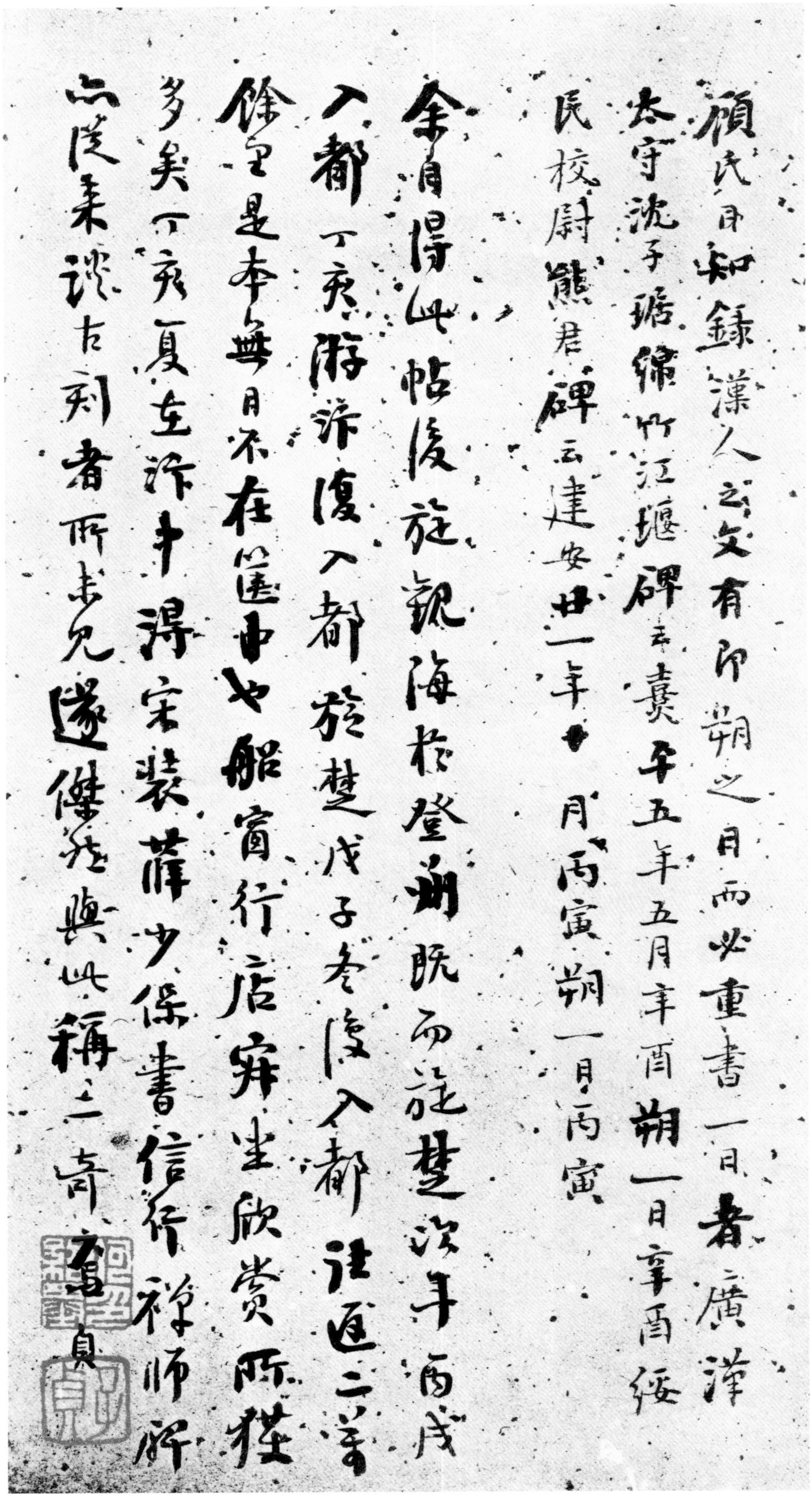

顧氏日知錄：漢人之文有即朔之日而必重書一日者，廣漢太守沈子琚綿竹江堰碑云熹平五年五月辛酉朔一日辛酉，綏民校尉熊君碑云建安廿一年十月丙寅朔一日丙寅。

余自得此帖後，旋觀海於登州，既而旋楚，次年丙戌入都，丁亥游浙，復入都，於楚戊子冬復入都，往返二萬餘里，是本無日不在篋中也。船窗行店，寤坐欣賞，所獲多矣。丁亥夏在浙中得宋裝薛少保書信行禪師碑，亦從來談古刻者所未見，遂儷與此稱二奇。蝯叟

道光癸巳夏四月震澤張履借觀并臨再
過歎息而歸之

魏晉人書法帖率傳摹失真賴碑誌猶存可想見
古人筆法然如此刻之幽深無際古雅有餘者見亦
罕矣道光癸巳七月海豐吳式芬借觀因題

故以清潔句以〻為己晉人海如此鬱矣蘭冐黃君屬癡跋以
為蘭冐余謂當是曹字筆畫小異耳　芬又記

浙江台州府修試院出此印於土中
道光壬辰校文四照樓從臨海庫索
觀乃印於此陸位唐詹事府司直
見安邑雲慶公神祠碑豈其人與

余自丙戌獲讀此碑子貞屬書數言畏執筆而恧從歷壬辰
与子貞共硯西湖晨夕欣對終未敢以惡札玷璟琇也越歲子貞
攜以旋都余獨留浙古色古香時縈夢想乃今復從子毅假觀拔
好重逢癡懷弥摯惜子貞歸試湘南未得偕觀對此轉增離緒了
會吳興嚴君鐵橋輯唐以前古文全編已成七百餘卷手錄一通寄之
并志於此以重墨緣甲午九月日照許瀚書

黑女南陽白水人按光武中興有白水眞人之讖然是鄉名善長注沔水曰
白水北有白水陂其陽有漢光武宅基址存焉所謂白水鄉也是也後魏亦無
此縣名地形志襄州北南陽郡有白水縣乃孝昌中僑置曰北南陽别乎此
故南陽郡而言也此南陽郡地形志屬廣州廣州係永安中置太和中當屬
荊州然黑女卒于太和十七年次年始改魯陽鎮為荊州在遷洛之前一
年黑女以中書侍郎第四品上階除為鄉郡太守邊城阨塞蓋領之
鎮將矣魏收所述皆東魏之制郡領南陽块城二縣而無白水殆已省併
余撰延昌志即据此志補之與張猛龍碑陰魯郡之弁均為吾書難
覩之堅證也新平郡地形志有二一屬涇州一屬南鄖州涇州神䴥中
置南鄖孝昌閒僑置此為涇州屬郡今陝西邠州其故治也黑女遠
祖和吏部尚書秩從第一品下祖具具疑非名猶今言某中堅將軍從第四品上
父盪寇將軍從第七品黑女以父為蒲反令遂家于斯葬于斯則

其父之有惠政于蒲可知是又晉乘所當蒐采者矣建中鄉孝義里余亦据以載入延昌志安得後魏文字如此志者百千種以光敝帚乎巨祿即鉅鹿後魏石刻多并增金于鹿旁從無作此二字者亦異聞也志云出自皇帝之苗裔者古人于上古之君乃稱皇帝甫刑皇帝清問下民是也此則借皇為黃黃帝弟五子揮始作弦為吾張氏受姓之始莊子書凡稱黃帝者本或作皇帝尤其明證此志筆法之妙亦為今世所見後魏諸石刻所未逮余因欲句子貞為臨一通置吾齋中以供欣賞唐臨晉帖但下真墨一等耳無多讓也

道光二十六年游兆頓牂二月五日辛卯㐆齋居士張穆跋

張猛龍亦南陽白水人其云翦鬱於帝皇之始與此志義同蓋爾時譜諜之學如此 五月初六日又記

秀逸不凡蕭散多致古香古色令人意消在元魏墓石中間有是銘心絕品學者由兩京古刻以求楷則固不可無此津梁也其妙造自然系乎運會非關人力乃是天成古之不能驟化為今亦猶今之不能遽變於古蕅老之魯珍跋謂篆以後代筆法運之則有千里之謬又謂脫去八分體勢斯為善變理有

見地洵為先得我心咸豐戊午五月從
子貞道兄所鄭重借觀留案頭旬月并臨兩
通一存行篋一寄小兒蓋希世之珍不宜輕易放過
也 子貞謂每一臨寫字未及半汗浹衣襦自
是神理綽聯力透紙背數百年後當与此誌
並傳者我則不然但如畫工寫真略得形似

笑頰上三豪，雖許未能，又安能九成？長康之傳
神阿堵耶。據誌，黑女葬于蒲坂，即葬於城
東原上。按蒲坂縣，在元魏屬秦州河東郡，即
今之蒲州府永濟縣也。道光戊申，路出河東，僅
搨得（隋）首山舍利塔碑、（唐）雲麾將軍李思訓碑，
殊未聞張黑女誌所在。想已久佚，主人亦不復知。

之美及門李小湘姜翾今守蒲郡昨曾寓書屬其留心物色勿遺荒僻儻於山村古寺中一遇之乎將穎不覺神往也六月七日玉牒崇恩題記

入目初似醜拙，然不衫不履，意象開闊，唐人終莫能及，未可概以北體少之也。六朝長處在落落自得，不爲法度拘局。歐、虞既出，始有一定之繩尺，而古韻微矣。宋人欲矯之，然所師承者皆不越唐代，恣睢自便，亦豈復能近古乎！

——清 何焯《北魏營州刺史崔敬邕志跋》

（《崔敬邕墓志》）善鑒者評爲妙在《張猛龍》、《賈使君》兩碑之上。

——清 潘寧

遒厚精古，未有可比肩《黑女》者。

——清 何紹基

魏晉人書，法帖率傳摹失真，賴碑志猶存，可想見古人筆法，然如此刻之幽深無際，古雅有餘者，見亦罕矣。

——清 吴式芬《金石匯目分編》

（《刁遵志》）書法得魏晉風，亦有隸意。

——清 郝懿行

（《刁遵志》）書體藝鍛如新，神采遒麗，又勝其銘。

——清 吴士鑑

此帖（《張黑女墓志》）峻利如《雋修羅》，圓折如《朱君山》，疏朗如《張猛龍》，靜密如《敬顯儁》。惜裁剪，行間不見左右相得之妙耳。

正書惟太傅《賀捷表》、右軍《旦極寒》、大令《十三行》是真跡，其結構天成，下比則《張猛龍》足以繼大令，《龍藏寺》足繼右軍……余爲審之，以《刁遵志》足繼太傅。

《刁惠公志》最茂密，予尤愛其取勢排宕，結體莊和，一波磔，一起落，處處含蓄，耐人尋味。

——清 包世臣

蓋此書（《刁遵墓志》）有六朝之韻度，而無其習氣，轉折回環，居然兩晉風流。唐人若徐季海、顔魯公，皆胎息於此。

——清 楊守敬《平碑記》

《張玄》爲質峻偏宕之宗。

（《張玄墓志》）雄强無匹，然頗帶質拙。

《刁遵志》如西湖之水，以秀美名寰中。

《刁遵》爲虚和圓静之宗。

——清 康有爲《廣藝舟雙楫》

此志（《崔敬邕墓志》）用筆略近《李超》，尚不及《刁惠公》之茂密。惜原本不得見，無以確定之。

近江南任氏得李眉生藏本雙鈎一本，刻行細意相校，殊無大異。彼本彌近《李超》，清潤處復與《司馬景和妻》相近。

——清 沈曾植《海日樓題跋》

圖書在版編目（CIP）數據

北魏墓志名品.1/上海書畫出版社編.——上海：上海書畫出版社，2013.8

（中國碑帖名品）

ISBN 978-7-5479-0651-4

Ⅰ.①北… Ⅱ.①上… Ⅲ.①楷書—碑帖—中國—北魏

Ⅳ.①J292.23

中國版本圖書館CIP數據核字（2013）第186579號

中國碑帖名品［三十三］

北魏墓志名品（一）

本社 編

責任編輯 馮 磊
釋文注釋 俞 豐
審　　定 沈培方
責任校對 周倩芸
封面設計 王 峥
整體設計 馮 磊
技術編輯 錢勤毅

出版發行 上海書畫出版社

地址 上海市延安西路593號 200050
網址 www.shshuhua.com
E-mail shcpph@online.sh.cn
印刷 上海界龍藝術印刷有限公司
經銷 各地新華書店
開本 889×1194mm 1/12
印張 8 2/3
版次 2013年8月第1版
2021年1月第7次印刷

書號 ISBN 978-7-5479-0651-4
定價 68.00元